HERMANITAS DE LOS POBRES

CAROLINE SHEPPARD

(Sor Emmanuel)

1823-1884

BARCELONA
1994

Ilustración de la portada y página 6

Detalles de un cuadro de James Collinson (1825-1881) pintado en Londres (Portobello Road) hacia 1868-1869. Sor Emmanuel se encontraba entonces en esa Casa. Siendo la única Hermanita capaz de hablar correctamente el inglés, es muy probable que el pintor —a quien le unía relaciones familiares— la haya representado aquí.

Fotos: Jean A. Fortier

ISBN: 84-604-9767-4

Realiza: Altés, s.l., Caballero 87, 08029 Barcelona

Depósito legal: B. 14984-1994

SUMARIO

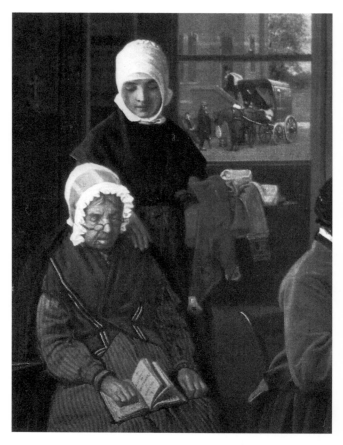

«Nada me gustaría tanto como gastar mi vida
sirviendo a los pobres y a los enfermos
por amor a Jesucristo»

Caroline Elizabeth Sheppard

Prólogo

El viernes 28 de marzo de 1884, a las tres de la tarde, moría en Londres, la primera Hermanita de los Pobres inglesa, Sor Emmanuel. Acababa de cumplir 61 años.

Entró en la Congregación en 1851. Fundó o contribuyó en el establecimiento de diecisiete casas de Hermanitas en Inglaterra, Escocia e Irlanda. Uno de los sacerdotes que mejor la había conocido, el que compartió con ella las preocupaciones y trabajos de esta misión, el Padre Ernest Lelièvre,[1] escribía, al día siguiente de la muerte de Sor Emmanuel, a su amigo Louis Marest:

Nuestra circular, demasiado lacónica, dice bien poco, y confieso que no es una página sino un volumen

---

[1] El Padre Ernest Lelièvre (1826-1889), sacerdote auxiliar de la Congregación, consagró su vida y su fortuna en favor de las Hermanitas y de los Ancianos. «Si tuviera que comenzar de nuevo, me entregaría todavía más», decía él. A este Padre se le deben muchas de las fundaciones de diversos países de Europa, América y África del Norte. Amaba particularmente las Casas de Inglaterra, Escocia e Irlanda en las que trabajó directamente junto con Emmanuel.

lo que hubiera sido necesario escribir a este respecto. No hace mucho hablábamos de ello el Padre Jacquin y yo; no sé si era él o yo quien lo decíamos pero estábamos de acuerdo en afirmar que la Hermanita Emmanuel poseía una virtud incomparable. El Padre Jacquin tiene sobre mí la ventaja de haberla visto durante la enfermedad[2] que sabíamos la conduciría a la muerte, y cuando más sufría. Nunca la ha admirado tanto. Sor Emmanuel sabía olvidarse de ella misma durante la enfermedad, como supo hacerlo cuando disfrutaba de salud. Si se le preguntaba cómo estaba, siempre respondía: muy bien. Es verdad que por su fe y su perfecta conformidad con la voluntad de Dios, encontraba bueno y sabía transformar en bien aquello que a otros hubiera parecido el colmo de los males.

Lo que distinguía a Sor Emmanuel, lo que se ha mantenido en ella desde el primer día de su vocación hasta su muerte, ha sido la ausencia de retrospección sobre ella, el olvido de sí misma. Su espíritu la impulsaba a no mirar atrás, a no considerar, en modo alguno, lo que en el futuro pudiera ser para ella cómodo o incómodo; desagradable o agradable; difícil o fácil. Jamás se vio en ninguna otra como en ella, la igualdad, la energía, constancia, abnegación y la sublimidad de las tres grandes virtudes: la fe, la esperanza y la caridad.

Era como un bosquejo, una efusión celestial, una manifestación resplandeciente y continua de lo que puede hacer el Espíritu de Dios en un corazón poseído

---

[2] Tuberculosis pulmonar.

por Él. Y ¡qué humildad! ¡Qué facilidad para ocupar el último lugar, para obedecer —después de haber mandado—, para aceptar alegremente, como quien no se da cuenta de nada, lo que más hiere al orgullo! En ella no había cabida para el orgullo, el respeto humano, la vanidad; a todo esto estaba muerta; todo estaba enterrado. ¿Qué más se necesita para hacer una santa...?

Éste es el admirable rostro de la hija de Samuel Sheppard y de Harriet Dean, nacida en Londres el 4 de marzo de 1823.

«No es una página, sino un volumen, lo que hubiera sido necesario escribir a este respecto.» Nada más verídico que esta reflexión del Padre Lelièvre. Se han escrito dos libros. El lector interesado podrá siempre referirse al último.[3]

---

[3]   Congrégation des Petites Soeurs des Pauvres, *Soeur Emmanuel, 1823-1884,* Imprimeries Oberthur, Rennes, 1926, 305 páginas (agotado).
    María Winowska, *La Bienaventuranza de los Pobres,* Ed. Paulinas, Madrid, 1968, 324 páginas.

Caroline Elizabeth daughter of | Samuel | Sheppard and Harriet his wife | Haringt... Road & St George Hanover Square | Jeweller | James Wallace one of the ministers York St. Chapel

This said Caroline Elizabeth Sheppard our daughter was born on the 7th of May 1823 and was baptized at York St Chapel in our presence the 3rd day of Dec 1826. We attest whereof we sign our names

(signatures)

Acta de bautismo de Caroline Sheppard
que se conserva en los registros de la capilla de York Street

I

HIJA DEL JOYERO DE LA REINA

«Joyero de Su Majestad la Reina y de la familia real», tal era el título del que podía prevalerse Samuel Sheppard, propietario de un importante establecimiento de orfebrería, en New Bond Street, en la «City» de Londres. Desde el punto de vista religioso, el Sr. y la Sra. Sheppard estaban adheridos a las doctrinas racionalistas profesadas por los unitarios y en donde pensaban educar a sus hijos: tres chicos y dos chicas. Los cuatro primeros: George, Caroline, Henry y Edmund, fueron muy seguidos. El mayor tenía 10 años cuando nació la última, Frances Maria, «Fanny» para los suyos.

Caroline iba a cumplir cuatro años cuando recibió el «bautismo», al mismo tiempo que sus dos hermanos más pequeños. En el registro de «York Street Chapel» se pueden leer, con fecha 3 de diciembre de 1826, las firmas de James C. Walace, ministro unitario que ofició, y las de los señores Sheppard.

Según una tradición —que hoy después de las búsquedas realizadas parece desmentirse—, el mismo Samuel Sheppard habría sido ministro. Más cierta es su adhesión irrefutable a los principios del unitarismo, que regían su vida familiar y social. Nunca el señor Sheppard se resignó de ver a Caroline, «la mejor de sus hijos» —como él mismo decía—, abrazar la fe católica y, cuatro años después, hacerse religiosa.

Pero antes de estallar esta tormenta, la vida transcurría pacíficamente y bien ordenada en el seno de la familia, típicamente victoriana, de Samuel y Harriet Sheppard. Chicas y chicos recibían una esmerada educación. Caroline estudiaba música e idiomas, bordaba y montaba a caballo. Fue durante un paseo ecuestre por Hyde Park, cuando habló por primera vez con un sacerdote católico. Al caer Caroline del caballo, el sacerdote se precipitó para ayudarle. Si el incidente fue banal, no así el encuentro para Caroline, a quien le quedará grabado en su memoria.

Hacia 1836 pasó dos años en Amiens para perfeccionarse en la lengua francesa. En el internado de la señora Boidin, conoció a Emilie Filliot, hija del director de un Banco de la ciudad. La amistad que nació entre ellas unió también a sus padres.

De vuelta a Londres, Caroline, fue iniciada por su padre en los principios del unitarismo y en el estudio de la Escritura.

Con un espíritu muy abierto hacía, bajo su dirección, rápidos progresos; se mostraba asidua a las reuniones, tocaba el órgano durante los oficios en el templo. Los dos años pasados en Francia no le habían hecho vacilar en sus convicciones religiosas.

En el transcurso del otoño de 1846, sus padres propusieron a Caroline una nueva estancia en Francia. Ella aceptó con alegría y pasó, esta vez, diez meses en París para perfeccionar sus estudios de música, en la escuela de los grandes maestros y estudiar el alemán y filosofía. El catolicismo le parecía, por entonces, un conjunto de supersticiones anticuadas, llamadas a desaparecer. Y sin embargo había en ella una fuerza misteriosa que la empujaba a frecuentar las iglesias. Un año después escribirá: «La última cuaresma la pasé en París. Aunque unitaria, iba con frecuencia a misa, porque no sé cómo ni por qué, me gustaba estar en las iglesias a pesar de que encontraba absurdo todo lo que veía. Sentía que se estaba bien allí» (25 de marzo de 1848).

Su estancia en París se terminó. Antes de volver a Londres decidió pasar por Amiens para visitar a sus amigos Filliot.

Calle de los «Tanneurs» de la ciudad de Amiens,
capital de la Picardie. Al fondo destaca la catedral,
construida en el siglo XIII por Robert de Luzarches.
Es la más grande de Francia y dedicada
a Ntra. Sra. de la Asunción

(Reproducción de un grabado de Léopold Robin (1877-1939)

II

«NO TEMA, JAMÁS ME HARÉ CATÓLICA»

A finales del mes de mayo de 1847, la adolescente que habían conocido el Sr. y la Sra. Filliot, llegaba a Amiens. Ahora se trataba de una joven de 24 años a quien se recibió con los brazos abiertos y a quien se le procuraron los medios necesarios para continuar sus estudios de idiomas y música.

Emilie Filliot, contenta de volver a ver a su amiga, le presentó a Rose París, hermana de la Sra. Filliot, profesora en el internado de Louvencourt, de donde era capellán el Padre Cacheleux, director de Emilie. Como era normal, le hicieron una visita. Conquistada por la buena acogida de este joven sacerdote, antiguo alumno de San Sulpicio y amigo del Padre François Libermam,[1] Caroline pidió poder asistir a las clases de religión que

---

[1] En 1847, la sobrina del Padre François Libermam, fundador de la sociedad del Santo Corazón de María (que se uniría a la Congregación del Espíritu Santo en 1848) y amigo del Padre Cacheleux, estudiaba en el internado de Louvencourt. En carta escrita el 14 de agosto, Theodora contaba a su padre, el señor Samson Libermam, médico de Estrasburgo, «la conversión de una joven inglesa» que no podía ser otra que Caroline Sheppard: *«Esta joven, hija de un jefe de los unitarios, había ido a*

se daban en el internado. Aspiraba a conocer, por ella misma, el catolicismo, ¡e incluso poder «convertir» al Padre Cacheleux! «¡Qué feliz sería —decía— si pudiera desengañar a este señor! Un alma tan recta está hecha para la luz; se la haré ver».

La esperaban en Londres pero ella solicitó de su padre retardar su partida: «Aprovecharé esta prórroga

París para perfeccionarse en las ciencias. Al volver para Inglaterra pasó por Amiens alojándose en casa de una amiga de la familia y hermana de la Srta. Rose, de la que mamá ha debido hablarte y a quien tú viste el año pasado. Llevaron a esta joven por las iglesias, sobre todo por la de Louvencourt, en donde la belleza de las ceremonias comenzó a impresionarle (...). Un día, cansada por tantas ideas como surgían en su espíritu, pidió un libro que pudiera aclararla. Se le propuso ir a casa del Padre Cacheleux, nuestro capellán, y aceptó. La conversación versó sobre varios artículos de nuestra fe, incomprensibles para ella. Terminada la conferencia, varias de sus dudas se aclararon. Tras un mes de conferencias diarias, reconoció la verdad del catolicismo y recibió el bautismo en la capilla de Louvencourt (...). Escribió a su padre y, cinco días después su hermano estaba en Amiens para conducirla a Inglaterra. Está en Londres desde hace tres semanas y se muestra de una piedad ejemplar (...). María la sostiene.»

Theodora Libermam, que entonces tenía 16 años, entró más tarde en la Congregación diocesana de los Sagrados Corazones de Jesús y María, cuya casa-madre estaba en Louvencourt.

Esta Congregación no se extendió más allá de Amiens: pronto tuvo dificultades. A pesar de la llegada de un grupo de religiosas polacas, tuvo que fundirse en la Congregación del «Patrocinio de San José». La antigua e inmensa Louvencourt que conoció Caroline Sheppard, fue transformada para adaptarse a otras necesidades: actualmente es una escuela técnica y un hogar de chicas.

16

para estudiar en filosofía la religión católica, pero no tema, nunca me haré católica».

El Padre Cacheleux, propuso a Caroline entrevistas particulares que ella aceptó prontamente: Asistía con Rose París, la tía de Emilie. Como base de sus conversaciones, aceptaba solamente la biblia. Apasionadamente discutía sobre las verdades negadas por los unitarios: la Santísima Trinidad, la divinidad de Cristo y el pecado original. El Padre Cacheleux confesará que, ante los múltiples argumentos de Caroline, tenía que poner punto final a la conversación: «Por esta tarde, nos quedaremos aquí, mañana volveremos sobre ello».

A la joven se le presentaban, sobre todo, dos dificultades. La primera se debía a la falsa idea que tenía sobre el catolicismo. Al ver que sus prejuicios se desvanecían, experimentaba una dolorosa sorpresa. «Lo creía insensato» —dirá ella más tarde— «y sin embargo ¡es tan racional! Se diría que están hechos el uno para el otro».

La segunda dificultad procedía de las consecuencias que se seguirían de su abandono del unitarismo, la pena mortal que causaría a su familia, sobre todo a su padre.

La luz de la verdad se iba haciendo cada vez más clara pero todavía no podía reconocerla. «No, es imposible —repetía—, yo no me haré católica.»

De una peregrinación a Nuestra Señora de Brebières,[2] el Padre Cacheleux le trajo un rosario y le

---

[2]   Nuestra Señora de Brebières es venerada, desde hace 1.000 años, en el santuario de Albert (Somme).

Recibe este nombre por haber sido descubierta por un pastor cuando guardaba su rebaño. Según una tradición fue al intentar

Estatua de Nuestra Señora de Brebières, ofrecida a Sor Emmanuel por sus amigos de Amiens

propuso una excursión al gran santuario mariano. Caroline aceptó. Lo que las discusiones no habían conseguido, lo conseguirá María. En carta a Rose París, diez

conducir al rebaño una oveja que se había quedado entre un matorral sin hacer caso a la voz de su pastor que la llamaba. Éste queriendo saber la causa se dirigió al lugar donde se hallaba la oveja y al golpear en el suelo para espantarla, oyó unos quejidos, descubriendo una estatua de la Santísima Virgen.

La basílica continúa atrayendo cada año millares de peregrinos, especialmente durante el mes de septiembre.

meses más tarde, Caroline evocaba esta jornada decisiva:

«Me gusta recordar esta peregrinación, todos los detalles pasan ante mis ojos: veo a mi buen Padre, en un rincón del coche, rezando su breviario y yo enfrente pensando... en mil cosas que, ciertamente, una unitaria no debería pensar. Aquel día comencé a ser católica. Dios me concedió una gracia muy grande; yo le pedía que la luz de la gracia brillara ante mis ojos.

»Hasta ese día, María me parecía una mujer como otra cualquiera; no sabía por qué se la llamaba Virgen ya que era esposa y madre. Algo misterioso se mezclaba en mis pensamientos. Veía a la Santísima Virgen más elevada, más bella que nunca, y por primera vez exclamé: "¡Oh María!, si tienes algún poder, si es verdad que puedes obtener cualquier cosa, te pido que me concedas la gracia de conocer la verdad, y si la encuentro en la Iglesia católica, pido a Dios me conceda el valor y la fuerza para abrazarla..." Era la primera vez que había hablado a la Virgen. ¡Sentía gran temor de haber obrado mal! Como debí repetir, sin duda varias veces, la misma oración, recuerdo haber recalcado intensamente la condición "si tienes algún poder", porque lo creía muy poco, tal vez nada.

»Comprenderá por qué me sentía dichosa y, al mismo tiempo, muy triste y miserable, porque todo era oscuridad. Con frecuencia, con mucha frecuencia, me acuerdo de ese día, sobre todo cuando veo el pequeño rosario rojo que me trajo mi buen Padre de su peregrinación a Nuestra Señora de Albert.» (1 de agosto de 1848).

Samuel Sheppard,
retrato conservado por una de las nietas de Fanny,
Katherine Amy Simpson-Ionides
(fallecida en 1981)

III

«¿ES POSIBLE NEGAR EL SOL?»

Por la tarde, Caroline «se rindió»: cree, es católica de corazón y quiere serlo plenamente. Escribió a su padre para prolongar su estancia en Amiens; sin embargo, ante el temor de una llamada inmediata, se preparó en seguida su entrada en la Iglesia católica. La ceremonia tuvo lugar en la capilla de Louvencourt, el 29 de junio, fiesta de los santos Pedro y Pablo. La joven recibió el nombre de Marie Emilie Caroline.

El mismo día escribía a su padre para informarle.

«Mi querido papá:

»Al escribir mi última carta, pensaba que podría encontrarme entre ustedes, con toda seguridad, a principios del mes de julio, pero hoy me veo obligada a rogarle que tenga aún un poco de paciencia porque no puedo señalar la fecha exacta de mi regreso. Seguramente va a pensar que estoy decidida a no volver, pero espere un poco y usted mismo me dirá que, en tales circunstancias, no debo obrar de otro modo. La señora Filliot acaba de caer gravemente enferma y el médico no se atreve todavía a pronunciarse acerca del mal que la aqueja. En tal momento ¿no es verdad que la simple gratitud me impone el deber de no abandonarla, al menos antes de saber en qué hemos de poner nuestra esperanza?

»El afecto que me profesa me obliga a informarle seguidamente de algo muy importante que me concierne y la confianza que siempre he tenido en usted me lo impone como un deber. Tal vez le entristezca, pero si le causa aflicción es a pesar mío. Espero que lo comprenda así, y estoy segura de que, cuando haya escuchado atentamente mis razones, me perdonará. Y no sólo me perdonará, sino que reconocerá también que sería culpable si obrase de distinto modo. ¿Qué pensaría, por ejemplo, de un hombre que, habiendo descubierto una verdad, cualquiera que fuese, se negase a reconocerla con su voluntad libre, y eso después de haberla examinado bien, después de haberla reconocido? Seguramente censuraría a ese hombre o, mejor tal vez, tendría compasión de su falta de valor, de su poca decisión. Mientras ese hombre no había visto esa verdad, no tenía ninguna culpa; pero, una vez en sospechas, en dudas, tenía el deber de examinarla y, una vez plenamente convencido, era su deber, su dicha, reconocerla, confesarla.

»Éste es mi caso: yo he sido unitaria toda mi vida y estaba persuadida de que los unitarios eran los más cercanos a la verdad en todo lo que a la religión se refiere. Digo los más cercanos, porque debo reconocer que yo misma estaba, a veces, dispuesta a dar grandes pasos hacia la incredulidad, cosa que ustedes, sin duda, habían debido advertir. Hoy día soy católica hasta lo más profundo de mi alma y con una convicción entera y plena. No crea que he abandonado los antiguos prejuicios sin esfuerzo, e incluso sin experimentar una cierta tristeza al ver caer, día tras día, todo lo que hasta ahora había considerado como seguro y verdadero. ¡Oh no! Le aseguro que, al igual que un náufrago que se agarra a la última tabla de su barco, he guardado cada punto de doctrina y cada idea, hasta que no me ha sido posible retenerlos. La verdad es demasiado fuerte, me ha convencido casi a pesar mío. Al principio examiné el catolicismo por pura curiosidad, deseando saber algo de la religión del país en que me hallaba desde hacía ocho meses largos, y deben juzgar del asunto por las palabras que puse al final de mi última carta en que decía a mamá que se tranquilizara por mí, pues no tenía la menor intención de hacerme católica. Puede estar seguro de que todas las hermosas fiestas a las que había asistido, todas las ceremonias que había visto, todas las misas que había oído y todas las iglesias que había visitado, magníficas por sus cuadros, sus estatuas, sus ornamentos, en fin, por sus mil atracciones, todo eso no me afectó lo más mínimo ni me infundió la menor idea, el más leve deseo de hacerme católica. No ha sido sino después de haber examinado, primero por curiosidad, reflexionado y estudiado a propósito de las dudas que se presentaban a mi espíritu, cuando la religión católica apareció ante mis ojos luminosa como el sol y de una belleza perfecta en toda su extensión y en todas sus relaciones, para aplicarse a todos los hombres, para proveer a todas sus necesidades, para consolarlos en todas sus aflicciones; en una palabra, una religión universal, como indica el nombre que lleva.

La catedral de Amiens

»Y ahora, papá, ¿qué podía hacer yo?, ¿es posible negar el sol cuando uno lo ve brillar en pleno mediodía? Conozco demasiado su amor a la verdad para dudar de su respuesta, y me consideraría una indigna hija suya si vacilase un instante en reconocer lo que creo firmemente que es la verdad. No, yo le declaro hoy ante Dios, que me es imposible, desde ahora, no vivir y morir como católica; que ésta es mi mayor dicha.

»¿Podrá culparme? Si encuentra que mi conducta es menos buena, menos recta, menos caritativa que antes, entonces puede hacerlo ciertamente, porque la caridad es el fundamento de la religión y la primera de las virtudes. Pero antes de condenarme, le suplico que haga lo que yo he hecho; no me juzgue sin conocer mi causa. Examine la religión católica bajo todos sus aspectos, creo que diría como yo: que su origen divino es demasiado claro para admitir dudas; que ella es la verdadera Iglesia de Jesucristo, que perdura desde hace dieciocho siglos y que está basada en el Evangelio, en el mismo Evangelio que ustedes interpretan de tan diversos modos. Sin duda, le sorprenderá lo que estoy diciendo, yo misma estoy sorprendida.

»Estaré impaciente, contando las horas, hasta que me llegue su respuesta. Estoy segura de que me ha perdonado y, hasta me atrevo a esperar, que aprobará mi conducta. Deseo volverles a ver a todos y ver de nuevo Londres; tengo muchas cosas que decirle y que no puedo escribir. Diga muchas cosas de mi parte a mamá, a mis hermanos y a Fanny. Espero regresar pronto. Habrá que buscar, si es posible, una ocasión para hacer el viaje con alguien. Escríbame una carta muy larga y dígame lo que piensa de mi conducta. Si no le he escrito antes, no lo achaque a falta de confianza o de afecto (pues ni la familia de la señora Filliot tenían idea de mis estudios); ha sido porque estaba persuadida de que nunca encontraría razones suficientemente fuertes para abandonar el unitarismo; antes de estar bien convencida, no quería hablarle del asunto. ¿No tenía razón? Ahora es distinto, completamente distinto, las dudas han desaparecido.»

La respuesta del Sr. Sheppard no se hizo esperar. Fue fulminante: reprochaba a su hija de haber traicionado su confianza; abrumaba con las peores inventivas al sacerdote que le había robado a su hija, a quien ordenó imperiosamente su regreso inmediato a Londres. Mientras tanto, el 2 de julio, fiesta de la Visitación de María, Caroline recibió su primera comunión. Se sentía muy necesitada del cuerpo y de la sangre de Cristo para poder hacer frente a las luchas que le esperaban.

Al día siguiente recibió otra carta de su padre en la que le exigía, absolutamente, su regreso. Su madre, de la impresión, había enfermado gravemente: si deseaba verla tenía que darse prisa. Caroline preparaba su respuesta que no pudo terminar pues su hermano llegó para buscarla.

Al otro día, al alba, comulgó por segunda vez en la catedral de Amiens. A las 6 h. cogió el tren... Mientras ésta se dirigía a Londres, el Padre Cacheleux volvía en peregrinación a Albert para confiar a Nuestra Señora de Brebières la fe de la recién convertida, Caroline.

IV

«SÉ QUE ME ESPERAN MUCHAS LUCHAS»

El profundo afecto que unía a Caroline con sus padres, hacía que la reacción de éstos fuera para ella todavía más dolorosa. Secretamente escribió el 8 de julio a Amiens:

«¿Cómo expresarle mi pena? He prometido hoy solemnemente no escribir nunca más al Sr. Capellán. Mi padre me lo ha pedido tan angustiado, que no he podido negárselo. Al verme dudar me ha echado en cara faltar a mi primer deber. Me ha dicho que le he destrozado el corazón, que jamás ha ocurrido en su familia una desgracia tan grande (...), que he abusado de su bondad y de su afecto y que hubiera preferido verme incrédula antes que católica. Ha maldecido el día en que partí para Francia... ¡La verdad va a constituir la desgracia de mi vida...! Yo no me atrevo a mirar a papá a la cara pues ¡está tan triste! (...).

»Algunos días después de mi llegada estaba verdaderamente desolada, hasta el punto de que casi deseaba morir. Mamá había observado mi tristeza y, cuando me miraba, los ojos se le inundaban de lágrimas. Como yo no podía tomar parte en las diversiones de mis herma-

**Hyde Park, muy próximo a la casa familiar
de Brook Street**

nos y de mi hermana, me refugiaba en mi habitación.
Había algo que me ahogaba y mi ahogo aumentaba cada
vez que pensaba en Amiens, en mi bautismo, en mi
primera comunión.

»Estoy segura de que se hace cargo de mi sacrificio.
Aconséjeme, pero con gran consideración hacia mis
padres, a quienes he causado un profundo dolor y es
preciso aliviarlo en la medida en que, en conciencia,
pueda hacerlo... Sé que me esperan muchas luchas...»

Por consideración a sus padres no escribirá directamente al Padre Cacheleux ni a su madrina, la señora

Filliot; Rose Paris será su intermediaria. Una correspondencia, continua y secreta, permitirá a Caroline pedir y recibir los consejos y aliento de los que con tanta fuerza siente la necesidad.

A primera vista, el Sr. Sheppard creyó que sería fácil influir sobre su hija; no le ahorró, pues, las discusiones.

«Mi padre —escribía el 14 de julio— no quiere ver a ningún sacerdote. Me dice que, puesto que afirmo ser católica, yo misma puedo explicarle en qué fundo mis creencias, y que si no puedo refutar sus argumentos será prueba de que yo no he estudiado la cuestión sino que sólo mi corazón ha sido convencido.

»Ha comenzado a hacer un examen de la religión católica conmigo. Me dice cosas a las que no puedo responder; entonces me reprocha haber sacrificado mi razón y haber sido influenciada para cerrar los ojos a toda verdad y admitir toda suerte de misterios. Si yo misma era difícil en este punto de "los misterios", papá lo es cien veces más. Acabo de darle un libro en inglés sobre el catolicismo. He rezado a Dios por él, para que le conceda la gracia de ver la verdad.

»No tema por mí. Si alguna vez, en el curso de la discusión, surgen dudas en mi espíritu, las rechazo como indignas de un cristiano. Cuando Dios ha hablado, la razón tiene que someterse y decir: "Creo, Dios mío, porque Vos mismo me lo habéis dicho". ¡No, jamás, jamás, con la gracia de Dios, seré incrédula!»

Y algunos días más tarde:

«He recibido la sagrada comunión esta mañana..., he pedido que la sangre del Cordero sin mancha recaiga sobre mi padre y sobre todos nosotros; que el Señor ponga en mi boca las palabras que puedan expresar esta fe que la gracia ha depositado en mi corazón para que pueda dar razón de mi esperanza a quienes me la pidan. Mañana tendré gran necesidad de ella pues el ministro unitario, que me conoce desde mi infancia y que se interesa mucho por mí, se ha enterado, con pesar, de que soy católica y quiere verme para conversar conmigo. Esta tarde pediré por él...»

Termina el 2 de agosto:

«El ministro unitario[1] ha venido; soy incapaz de repetirle todo lo que me ha dicho pero al marcharse me aseguró que no perdía las esperanzas de volverme a la fe en que fui educada. ¡Oh, qué palabras! Yo no podía responder a sus preguntas... ¿Acaso soy un doctor para explicar las Escrituras? ¡No soy más que una niña bautizada hace sólo algunas semanas y pretenden que lo sepa todo!»

---

[1]   Poco numerosos en nuestros días, los unitarios y unitarias, fueron fundados a finales del siglo XVIII o principios del XIX, como reacción a la estricta doctrina calvinista.
   La perfectibilidad del hombre, la libertad y la responsabilidad moral de la persona, son —dando gran importancia a la razón humana—, las características del unitarismo que sólo admite una sola persona en Dios.

Esto sólo era el comienzo... El ministro unitario volverá para «discutir indefinidamente». A éstas se añadían otras discusiones, como escribirá Caroline el 26 de noviembre:

«No crea que las discusiones han terminado, por el contrario, son más largas y toda la familia toma parte en ellas. Continúan mirándome como si estuviera medio loca, por lo que se refiere a la religión, aunque por lo demás, bastante razonable. Mis amigos comienzan a enterarse de que soy católica y esto me proporciona alegría. ¿Por qué ocultarlo? Papá se convence, por fin, de que no podrá hacerme unitaria, por ningún medio, "pues —dice que— al haber sacrificado la razón que Dios me ha dado, para seguir con una fe ciega, los dogmas de una Iglesia corrompida y dejarme conducir por los sacerdotes, todo está perdido". Ahora, lejos de dudar después de las discusiones, como ocurría antes, me siento más católica que nunca. ¡Bendito sea Dios!»

¡Período doloroso para Caroline! Sin embargo, jamás faltará al afecto ni al respeto que siempre ha tenido por sus padres.

El 9 de febrero de 1848, escribía:

«En casa todo transcurre lo mismo; hace bastante tiempo que papá no me habla de la Iglesia católica, de sus dogmas, de sus prácticas. Yo converso de vez en cuando con mamá que está resignada con la separación. En cuanto a mis dos hermanos que están en casa, no

**New Bond Street: a la izquierda de la foto
el edificio que ocupaba la tienda de orfebrería
de Samuel Sheppard**

puede imaginarse lo apenados que están; ellos no me
dicen nada pero sé lo que piensan sobre ello, por
mamá.»

En el mismo Londres, Caroline se hacía ayudar por
el Padre Hunt, sacerdote inglés de la parroquia católica
a la que ella iba, con la mayor frecuencia posible, para
la misa y los oficios.

Entonces el ayuno eucarístico era muy estricto, pero

su deseo de la comunión era tan grande, que ninguna privación la detenía.

«Esta semana —escribía el 2 de agosto de 1847— he podido ir dos veces a la misa de las diez y espero asistir también mañana, viernes. Me gusta ir sobre todo el viernes para meditar sobre la muerte de Nuestro Señor, acto de amor infinito que nos ha hecho herederos del reino celestial (...), pero me es imposible a causa del desayuno, que tomamos todos juntos y para rehusarlo tendría que explicar todo. Ahora bien, el sacramento de la Eucaristía es para papá el mayor absurdo de la religión católica; por el momento creo que es más prudente evitar todo lo que pudiera ser motivo de escándalo.»

Y dos semanas más tarde:

«Me resulta un tanto difícil poder salir de casa, a hurtadillas, para recibir la sagrada comunión en la misa de las ocho. Nadie sospecha que no estoy en la cama; y como desgraciadamente mi dormitorio está sobre el de mis padres, no me atrevo a dar un paso en mi habitación; sin embargo, hasta hoy, he logrado vestirme, bajar y abrir la puerta sin ser descubierta. Pero tengo la sensación de estar haciendo alguna cosa mala y me sobresalto al menor ruido. Si se abre una puerta, me quedo quieta hasta que se cierra. Vuelvo a las nueve, hora del desayuno. El regreso exige más precauciones para no encontrar a nadie en la escalera. Generalmente me quito el sombrero abajo y se lo doy a la criada. Ésta está al corriente y es quien se encarga de llamarme para que no me duerma, aunque esto ocurre rara vez.»

Un cierto domingo de octubre las cosas se complicaron: Caroline encontró la puerta cerrada y la llave quitada, ciertamente por su padre.

«Desayunamos a las nueve y cuarto —explica ella—; yo hice ademán de comenzar la primera, de modo que cuando todo el mundo bajó, cada uno ocupado de sí mismo y yo de servir a todos, no se dieron cuenta de que yo no desayuné. Rápidamente me fui para no perder la misa de las diez. Luego me quedé hasta después de la misa mayor (...) ¡Cómo quisiera sufrir más por Jesucristo...!»

V

«ME PARECE... QUE NO HAGO NADA»

A primeros de 1848, la familia Sheppard se marchó de la casa de Brook Street y se fue a vivir a Brompton, un barrio de la periferia de Londres, en aquella época. «Todo el mundo está encantado —decía Caroline— ...hay en Brompton un hermoso jardín en el que todos trabajamos.»

Los dos hermanos menores continuaban sus estudios: Henry, que estudiaba Derecho, llegaría a ser ministro en la Iglesia anglicana; el mayor, George, viajaba y residía con frecuencia en India. Probablemente formó parte de la armada inglesa; Fanny estudiaba idiomas con su hermana, y también música.

Caroline se inquietaba: «Me parece que estoy demasiado tranquila, que no hago nada.» Al mismo tiempo surgía en su corazón el deseo de entregarse a los pobres. Sus amigos de Amiens le dieron las obras de Massillon: el sermón sobre la limosna le conmovió de manera especial. Pronto se unirá a un grupo de «señoras y jóvenes» de la capilla católica que visitaban a los pobres y enfermos.

«Doy clases de música a Fanny; papá me ofrece el dinero que hubiera tenido que dar a un profesor, unos 200 F al año. Este dinero lo he consagrado a los pobres.

**Frances Maria
(Fanny)
hermana
de
Caroline**

Cuando mi hermana se impacienta o está de mal humor (yo tampoco soy perfecta), me acuerdo de que trabajo para los que están en la miseria...»

Pero sus padres ignoraban, por el momento, estas actividades.

«Voy a contarle mis artimañas para visitar a los pobres. Cuando salgo con una antigua amiga de mamá, si es posible, vamos al barrio donde viven esas pobres mujeres. Mientras mi compañera se detiene en los comercios para ver lo que hay, entramos y ella examina las cosas que desea comprar, yo, con el pretexto de hacer un encargo, hago mi visita a la pobre más cercana.

¿Verdad que es un encargo de Nuestro Señor visitar a los desgraciados y afligidos?

»Ahora estoy haciendo algunos vestidos para una pobre mujer que, para ganar su pan, no tiene otros recursos que un pequeño cesto de cordones y algodón que vende por las calles (...). Está en la miseria, como tantas otras, y además es muy anciana.»

«Hoy —escribe también— he ido a visitar a una pobre anciana envuelta en una capa, porque no tenía más carbón. Le he dado dinero para comprar el pan y el té; ella me ha rogado, por el amor de Dios, que le dé algo con qué calentarse. Ciertamente no he podido negárselo a pesar de que mi bolso estaba ya casi vacío. Me había propuesto no darle nada esta vez, pues últimamente le había dado, pero ¿quién podría negar, por el amor de Dios? (...)

»Tengo un miedo terrible de ser descubierta cuando me ausento durante toda la mañana, pero no quisiera negarme nunca a escuchar a quienquiera que sea, sobre todo si se trata de un pobre; por eso se me hace tarde al tener que escuchar tantas historias. Cuando quedo libre, me pongo bajo la protección de la Santísima Virgen y corro a todo correr a casa.»

Un día, Caroline, con mucha audacia, puso a su madre al corriente de estas visitas. Escribe a Rose París:

«¿Sabe? He hablado a mamá de mis visitas a los pobres y he obtenido su permiso y también su ayuda

Casa de Sidmouth Lodge, en Brompton

para estos desgraciados. Papá no lo sabe ni mis hermanos tampoco, no creo que sea necesario, pero me hubiera resultado muy difícil, quizás imposible, continuar haciéndolo sin que mamá lo supiera. Además ella puede darme muchas cositas, en lo tocante a vestidos, que yo no podría procurarme. En fin, la mayor razón de todas ha sido que creía faltar a la obediencia a mis queridos padres y de confianza con mamá, tan buena, no compartiendo con ella mis planes, mis acciones, mis necesidades, mi dicha, pues ¿acaso no es una dicha tener la ocasión de servir a Nuestro Señor en los pobres?» (15 de marzo de 1848).

El 2 de julio, día aniversario de su primera comunión, Caroline recibió el sacramento de la confirmación en la capilla de Chelsea, de manos de Mons. Wiseman. Esto, como siempre, secretamente.

Ella se interesaba por las misiones, leyó los Anales de la Propagación de la Fe, se inscribió en la Asociación de la Santa Infancia, rezaba por los misioneros... Una criada de la casa, bautizada en la Iglesia católica pero que ignoraba la religión, le manifestó su deseo de conocerla bien con el fin de morir en la fe de su bautismo. «Tengo mucha dificultad —escribía Caroline— para arreglar las clases con mi primera alumna, pues es la cocinera. Hoy he comenzado seriamente un curso de instrucción (...). No crea que me sirvo siempre de los libros para enseñar; al contrario, si no se trata de dogmas de la religión, prefiero hacerlo conversando con ella, pues cuando leo no siempre comprende. He programado media hora cada mañana, en mi habitación».

Las jornadas de Caroline transcurrían entre las visitas a los pobres, las lecciones de religión, la participación en la vida de la parroquia —tocaba el órgano en la capilla de Fulham y decoraba los altares—, ayudaba a su madre y a Fanny... A esto se añadían los estudios de alemán e italiano que seguía con su hermana y los de latín, con uno de sus hermanos, probablemente con Henry: «Tengo grandes deseos de aprenderlo ya que es la lengua de la Iglesia.» El Padre Cacheleux y los sacerdotes de Londres le procuraron excelentes libros religiosos: san Francisco de Sales, Bossuet y el Padre Rodríguez, entre otros, son citados por ella en sus cartas.

**Church Street, calle de Londres,
al norte de Hyde Park**

VI

«SER RELIGIOSA, ESTE PENSAMIENTO ME PERSIGUE»

Desde que entró en la Iglesia católica, Caroline, pensaba en la vida religiosa. Ella aspiraba a entregarse totalmente a Dios, pero ¿era esto lo que Dios esperaba de ella? «Para una vocación tan santa ¿no será necesaria una llamada, una inspiración especial?»

«Cuando estoy sola —escribía a Rose París— esta idea me asalta constantemente y me es imposible desecharla. Cuando me viene este pensamiento me alegro, pero al día siguiente me entran dudas. Pienso en papá, que apenas me permite que sea católica, en mamá, a quien le causan horror los conventos, en toda mi familia... Luego me da pena el pensar en usted y, el temor de no volverla a ver, me destroza el corazón. No estoy convencida de que la vida en un convento sea más agradable a Dios que una vida virtuosa en el mundo, sin embargo, el pensamiento de esta vida, me persigue siempre: es el último de la noche y el primero de la mañana... En tanto me parece un sacrificio el que debo hacer, como una dicha a la que jamás podré aspirar...»

Mientrastanto, la familia planeaba para ella un viaje... ¡y el matrimonio! Su hermano George buscaba cómo interesarla por un viaje a India y persuadió al señor Sheppard de que él se encargaría de buscarle «¡un buen partido!» Caroline no se inmutaba. Dejaba que dijeran y esperaba. Por otra parte estos proyectos no podrían realizarse de inmediato pues su hermano, enfermo, debía volver a Inglaterra.

Caroline acababa de leer los dos primeros volúmenes de la *«Perfección cristiana»*, del Padre Rodríguez.

«He llegado al tratado de los tres votos —dice—. ¡Qué belleza! En ellos encuentro toda la perfección que imagino en el servicio de nuestro buen Maestro, sobre todo por la obediencia. No he leído todavía ni la mitad del tratado sobre la obediencia, pero lo suficiente para desear el hábito religioso y poder practicar así esta virtud el resto de la vida... Pero no, en este momento esto sería imposible; con la gracia de Dios, un poco de paciencia y, sobre todo, por la intercesión de nuestra buena Madre, la Santísima Virgen, quizá llegaré un día; al menos no pierdo la esperanza. No deseo otro esposo más que a Jesucristo, ni otro amor que el suyo...»

Durante el verano del año 1848, el Padre Hunt, sacerdote con el que Caroline se dirigía desde su vuelta de Amiens, se ausentó algunas semanas. Su reemplazante, el Padre Brownbill, jesuita, ganó en seguida su confianza. Caroline encontrará en él un director sabio, ilustrado, pacificador. Ésta le habló de su deseo, cada vez más vivo, de consagrarse a Dios y de la imposibilidad, por el momento, de hacerlo en la vida religiosa. Entonces Caroline decidió hacer voto de castidad y, con el permiso del Padre Brownbill, se comprometió el 21 de junio de 1850 «por un año y con intención de renovarlo». Según sus propias palabras, ya «ha escogido a Jesús como el amado de su corazón, y se ha entregado por entero a un esposo tan santo, tan grande, tan bueno, pero tan humilde y tan pobre por amor a su criatura».

Dios la llamaba a una consagración total, en una vida de caridad activa. Caroline lo veía cada vez con mayor claridad. Visitó a las Hermanas de la Misericordia de Londres, pidió que le dejasen leer las reglas de las Hermanas de San Vicente de Paúl...

«Si Dios me llamara a la vida religiosa —escribe ella en mayo de 1850—, creo que escogería una vida muy activa. Me gustaría ser Hermana de la Caridad, consagrarme para siempre a mi querido Señor mediante la pobreza, la castidad, la obediencia y pasar mi vida sirviendo a los pobres y a los enfermos, por su amor. Rece por mí para que, si ésta es su santa voluntad, me llame a esta vida religiosa. Cuando pienso en ser religiosa, me parece demasiada felicidad; este pensamiento me persigue y, durante la santa misa, pido para que se realice.» Pero ¿cómo hablar de este proyecto a su padre?

«Ya es tiempo de que conozca mis ideas sobre ello —dice— y que mi atractivo por la vida religiosa es tan grande que no seré feliz más que en un convento; que ésta es mi vocación y que cualquier otra cosa me entristece y me resulta insoportable... Mi padre no comprende en absoluto lo que es una vocación, pero dejo los resultados en las manos del Señor y de la Santísima Virgen...» (10 de agosto de 1850).

La fiesta del 15 de agosto fue escogida para dar este difícil paso. Caroline cuenta a Rose París:

«El día de la Asunción, por la tarde, me fui al jardín a esperar a mi padre, pues solía bajar con frecuencia para pasear después de la cena. Durante todo el día he temido este encuentro; cuando llegó el momento, mi corazón latía con tanta fuerza y mi voz temblaba tanto que apenas si podía hablar. Lo ofrecí a Nuestro Señor y a la Santísima Virgen y por fin comencé. Apenas había pronunciado la palabra "convento" y mi deseo de entrar en él, cuando mi padre, muy agitado, declaró que jamás me iría allá, que se extrañaba de oírme hablar, que más bien preferiría verme muerta. No permitió que le diera más explicaciones, todo el tiempo hablaba solo y con un tono de voz tan elevado que llegué a sentir miedo. Le dije que no creía que le iba a disgustar tanto y le prometí no volver a hablar del asunto. Él insistió en que jamás obtendría su permiso, que ya era demasiado que fuera católica; maldijo el día que yo tanto había bendecido, el día en que me vio marchar para Francia, el día bendito en que mi buen ángel me condujo a París y de allí a Amiens para hacerme entrar en el seno de la Iglesia de

Jesucristo. Después de esta conversación mi padre no ha hecho ninguna alusión a ella ni ha cambiado en su conducta conmigo.

»Esa misma tarde estaba yo casi desesperada y en cuanto me fue posible me retiré a mi habitación para dar rienda suelta a mis lágrimas. Me parecía que no había nada que hacer en cuanto a mi vocación religiosa, que los obstáculos eran insuperables, que Dios me dejaba junto a mis padres. Poco a poco la esperanza volvió... Me acordaba de tantas circunstancias parecidas en la vida de los santos que tuvieron todavía mayores dificultades para poder entrar en la religión y no se desalentaron (...) ¡Es una gracia tan grande! El buen Dios quiere, quizá, concedernos algún tiempo para prepararnos a recibirla; seguramente quiere despertar más nuestros deseos y que ejercitemos la paciencia...

»Sobre todo me consolé mucho al pensar en san Francisco Javier que se alegraba de carecer de todo recurso humano porque "entonces —decía él— al no poder esperar nada de nadie, aumenta mi confianza en Dios". Estaba admirada por haber encontrado el ánimo al día siguiente y vuelto a sentir mis deseos de vida religiosa. Desde aquel día, la gracia de Dios hace que en mi corazón aumente cada vez más este deseo...»

Oh c'est bien trop de graces!

L'ordre que j'ai choisi est l'ordre
des Soeurs des Pauvres. Le bon Dieu
m'a donné plus d'attrait pour cet
ordre que pour tout autre. On les
appelle à Paris "les Petites Soeurs des
Pauvres" et on fait la quête pour
la nourriture de leurs protégés et
pour elles-mêmes.

Marie Emilie Caroline

La última carta de Caroline desde Londres
con fecha 26 de junio de 1851

VII

«ME MARCHO, SIN EL CONSENTIMIENTO DE MI FAMILIA»

Habían pasado ocho meses... El 30 de abril de 1851, Caroline escribió de nuevo a su amiga de Amiens:

«Desde hace algún tiempo, he pensado menos en la vida religiosa que en santificarme, con la gracia de nuestro querido Señor, en el estado en que me encuentro, ya que la voluntad de Dios no se manifiesta aún de otro modo respecto a mí. No quiere esto decir que no desee siempre esta santa vocación, pues estoy dispuesta a seguirla hoy mismo, si Dios me llama a ella... Espero no amar nunca a nadie más que a Él, sea en el mundo o en la vida religiosa: ciertamente siempre podemos amarlo en todo instante, en todas las ocasiones, sea que hablemos o actuemos, que suframos o que no hagamos más que comer o cualquier otra pequeña y ruín acción, siempre podremos amarlo con todo el corazón; por este amor nos hace felices en esta vida, para el cielo durante la eternidad.

»¡Qué bueno es el Señor que nos da una recompensa tan grande por tan poca cosa! ¡Qué generoso es! ¿Qué no hará para que le amemos?»

Súbitamente, después de esta carta, la correspondencia de Londres se interrumpió bruscamente por una nota escrita el 26 de junio, víspera de la fiesta del Sagrado Corazón:

«¡Una palabra! ¡Bendito sea el Señor mil y mil veces! ¡Oh!, agradezca al Señor que por fin haya llegado el momento de consagrarme totalmente a Él.

»El lunes por la mañana, día dichoso, marcho para París a las ocho y media. No sé a qué hora pasará el tren por Amiens, pero me dará una gran alegría si pudiera verla unos minutos, así como a mi buen Padre, el señor Capellán.

»Hoy no puedo escribirle extensamente, sólo algunas líneas en casa de una amiga. No me envíe a Londres aquello de lo que le hablé, puesto que ya no estaré allí.

»Me marcho sin el consentimiento de mi familia; el buen Dios me llama y tengo miedo de resistir a su gracia si me quedo aquí.

»Adiós, rece por esta hija feliz; dé gracias al buen Dios, a la Santísima Virgen y a mi patrón san Luis de Gonzaga.[1] Ha sido el día de su fiesta cuando he hecho que prepararan a mi padre para mi determinación. No puedo decir ni una palabra más. ¡Son demasiadas gracias!

»La Orden que he escogido es la de las Hermanas de

---

[1] Caroline, que hizo voto de castidad el día de san Luis de Gonzaga, probablemente se puso entonces bajo su patrocinio.

los Pobres. El buen Dios me ha dado mayor atractivo por esta Orden que por cualquiera otra. En París las llaman "Les Petites Soeurs des Pauvres" ("Las Hermanitas de los Pobres") y piden limosna para alimentar a sus protegidos y para ellas mismas.»

Al marchar de Londres, Caroline, pensó detenerse en Amiens, pero no lo hizo para ofrecer este último sacrificio a su Señor. Desde París explicó a Rose París la causa y le dio los detalles de su salida:

«En casa sabían que debía marchar, que estaba completamente decidida a ello, pero no sabían el día. Yo mandé todo a casa de una amiga católica que vive en Londres... El domingo era mi último día. Por la noche, al ir a acostarme, abracé a papá, a mamá, a mis hermanos y mi hermana, como de ordinario sin decir nada. Al día siguiente, a las cinco y media, dije adiós a la casa paterna para seguir la santa voluntad de Dios, adonde me llamaba. No crea que ese día me puse en camino con tristeza. ¡Oh no! Hacía años que suspiraba por este día y había pedido a Dios, con lágrimas en los ojos, que me lo hiciera ver; lo había pedido por la intercesión de la Santísima Virgen y de todos los santos. De verdad que era muy feliz. Si pude experimentar algún pequeño impulso natural hacia mis padres, un pequeño pesar por dejar el mundo, no pudo ser voluntario puesto que, bajo ningún pretexto, hubiera querido estar todavía allí...»

¿Qué había ocurrido? Sin duda el Padre Cacheleux

recibió la confidencia pero no hay ningún escrito que nos lo revele. Se sabe sencillamente por una Hermanita que, durante algunas semanas, Caroline compartió la vida de la primera comunidad de Inglaterra, fundada en abril de 1851, y que su padre se la llevó.

En la pobre casa, preparada en Londres por las Conferencias de san Vicente de Paúl, no había en la cocina nada más que leña para el fuego y una marmita. ¡No había dinero para comprar el pan, ni nadie que pudiera hacerse entender en una panadería! Madre Marie-Thérèse de Jésus,[2] Asistente general encargada de la fundación y las cuatro Hermanitas —de las que tres sólo eran novicias— se pusieron a rezar... Llamaron a la puerta: era un joven que les llevaba doce libras de pan. Volvieron a llamar por segunda y tercera vez: eran otras personas que se presentaban con mantequilla, queso, huevos, café, azúcar... Finalmente les llegaron cucharas, tenedores, cuchillos. ¡En este despojo de los orígenes, había de qué atraer a Caroline en el seguimiento de Jesús pobre y humilde!

Por otra parte, en la historia de esta fundación, se cuenta que «una joven había tomado cariño a las Hermanas y conducida por un atractivo que debía más

---

[2] Virginie Trédaniel, la joven huérfana acogida por Jeanne Jugan en 1838, primera compañera de ésta en los comienzos de la Congregación y quizá la que le estuvo más cercana. La difícil fundación en Inglaterra, de la que estuvo encargada, es una prueba de la confianza puesta en ella. Consumida por el trabajo, murió en Rennes el 12 de agosto de 1853, contando tan sólo 31 años.

tarde llevarla a unirse a la obra, fue para ellas una preciosa ayuda...» Todo hace creer que se trata de Caroline.[3]

La iglesia de San Vicente de Paúl, en París, la cual Caroline acostumbraba visitar antes de ser católica confesando que «veía el altar de María iluminado, oía los cantos, no comprendía nada y sin embargo me gustaba permanecer allí...»

(24 mayo 1849)

---

[3] Es posible que Caroline hubiera conocido a las Hermanitas por medio de las Conferencias de san Vicente de Paúl, colaboradores activos de numerosas fundaciones de la Congregación. Recordemos que la primera Conferencia, establecida en el año 1833 por Fréderic Ozanam, precede sólo de seis años a la fundación de las Hermanitas de los Pobres por Jeanne Jugan.

La primera casa de las Hermanitas en París
en el n.º 177 de la calle Saint-Jacques,
colindando con el hospital militar
de Val-de-Grâce

VIII

HERMANITA DE LOS POBRES

Fundada en 1839, la Congregación contaba ya con doce casas de ancianos en diferentes departamentos de Francia cuando se abrió la de Londres. Para afrontar las dificultades, el trabajo y la extrema pobreza que caracterizaban estas fundaciones, eran necesarios un gran amor a Dios y a sus pobres, y una generosidad a prueba de bomba. Caroline se insertará, con gran naturalidad, en este marco desconocido.

Existía un solo noviciado en vías de organización. Mientras las postulantes se quedaron en Tours, una parte de las novicias se marcharon a París instalándose en la primera casa de la calle Saint-Jacques; después en la de la calle du Regard.[1] Fue desde allí desde donde Caroline escribirá a Rose París, el 1 de julio:

«El buen Dios me ha concedido la mayor de las gracias. Ahora sólo será necesario trabajar con todo el corazón y entregarse, como víctima, al servicio de Nuestro Señor.»

---

[1] Segunda fundación parisiense, hoy en 62, Avenue de Breteuil.

Y quince días más tarde:

«Aquí me tiene en este feliz asilo deseado desde hace tanto tiempo (...). ¿Quién hubiera dicho, cuando me marché de su casa, que a los cuatro años volvería a Francia, a París, no como antes, para toda suerte de vanidades, para satisfacer esta insaciable curiosidad de saber y ver todo (...), sino que vendría para renunciar a todo y darme enteramente y sin reserva a Nuestro Señor Jesucristo? (...) Quiera Él hacer de mí una Hermanita de los pobres muy humilde, muy bondadosa, muy obediente, cuando, por su gracia, haga los votos.»

Después, la postulante, le habla del horario: levantarse a las cuatro y media, oración de la mañana, meditación, oficio de la Santísima Virgen, Santa Misa...

«Después de nuestro desayuno —continúa— voy a hacer la limpieza en las habitaciones de los hombres. Primero les sirvo el desayuno, con otras Hermanitas; después hay que hacer las camas, barrer los dormitorios y atender a todas sus necesidades. Cuando todo está terminado, voy a la sala de trabajo; allí cosemos los hábitos, las capas y los gorros de las Hermanitas y remendamos la ropa blanca. Algunas ayudan en la cocina, otras en la lencería, en la enfermería, portería o con las ancianas.

»A las doce comemos, después de haber hecho el examen particular; sigue el recreo y después recitamos el oficio. A continuación volvemos al trabajo y, mientras trabajamos, se reza el rosario, se hace alguna lectura espiritual o se permanece en silencio, así tenemos tiempo suficiente para unirnos a Dios, para pensar en Él...

»Después de la cena tenemos otro recreo al que se sigue la recitación del oficio y la oración de la noche; luego vamos a descansar en nuestro jergón de paja.»

La situación del noviciado era extremadamente precaria: la vivienda estrecha, las camas insuficientes, faltaba la vajilla. En medio de estas privaciones y sacrificios, Caroline, a quien llamaban «Sor Marie», exultaba de gozo:

«Dios, ¡es tan bueno conmigo! Me encuentro más contenta que nunca de estar aquí; no tengo ninguna duda sobre mi vocación pues el Señor lo ha manifestado claramente por la fidelidad que me ha concedido para hacer cosas a las que no estaba acostumbrada.

»Es cierto que en casa gozaba de buena salud, pero ahora la tengo todavía mejor.» Después de agradecer a Rose París por su carta continúa: «Usted me ha hablado de la pobreza; el buen Dios me ha dado un gran atractivo por esta virtud. Cuando oigo hablar de ella, experimento un gran deseo de practicarla; nada es demasiado pobre, tengo siempre demasiado, las cosas están demasiado bien, son demasiado buenas.»

En el verano, Caroline tuvo la gran alegría de ver al Padre Cacheleux que había ido a París, a Saint Sulpice, para unos ejercicios anuales.

En septiembre le dio noticias suyas:

«Desde que usted pasó por París he recibido dos cartas de casa: la primera de mi hermana, la segunda de mamá que dice que papá continúa muy enfadado por mi conducta, que también ella tenía mucho disgusto y pena, pero que esperaba reconciliarse pronto...

»Al recibir esta primera carta de mamá, no pude retener mis lágrimas; sin embargo, con la gracia de Dios, lloraba sin tristeza, sin pesar (...)

»Desde que nos hemos visto, hago de todo un poco. Ahora la Buena Madre me ha puesto en la enfermería para ayudar a dos Hermanitas en el cuidado de los enfermos; estoy muy contenta y espero ser útil. Por otra parte, he tomado la resolución de amar todo».

Hacia el mes de noviembre, Caroline, tomó el hábito de novicia y recibió el nombre por el que desde ese momento se le llamará: Sor Emmanuel. Una carta al Padre Cacheleux nos permite seguirla en la casa de la calle Saint-Jacques, en donde reside ahora:

«Tengo que decirle que ahora salgo todos los días a la colecta, por la que tanto he suspirado. Creo que el Buen Dios me ha dado un atractivo especial por ella, pues es una dicha el ser enviada...»

El 31 de mayo de 1852 se estableció un noviciado más estructurado en Rennes, en donde Jeanne Jugan fundó, diez años antes, una segunda casa de Hermanitas. Desde allí, Sor Emmanuel, anunció a Rose París que iba a comenzar los ejercicios preparatorios a la profesión religiosa.

El 8 de diciembre, fiesta de la Inmaculada Concepción, Caroline pronunció sus votos temporales de pobreza, castidad, obediencia y hospitalidad. Con ella los hicieron otras siete Hermanitas. Sor María de la Cruz asistiría, ciertamente, a la ceremonia. Llamada a la casa-madre en este año 1852, la fundadora comenzó un largo período de silencio y olvido.

La primera carta de Sor Emmanuel, tres semanas después de su profesión, muestra ya lo que será la vida de Hermanita que se abre ante ella. Escribe desde París, el 29 de diciembre:

«A pesar de que exteriormente todo parece igual, hay en mí un gran cambio: ¡el buen Dios ha sido tan misericordioso conmigo! (...) Ahora puedo decir que poseo todo; soy más rica que todas las reinas de la tierra, puesto que el Rey del cielo es mi esposo. ¡Quiera Dios concederme la gracia de no tener, desde ahora, más que el único deseo de agradar a este divino Esposo!» (29 de diciembre de 1852).

La Piletière (Rennes)
En esta casa Sor Emmanuel hizo su profesión
el año 1852

IX

«LAS MANOS VACÍAS...»

La casa de la calle Saint-Jacques, de París, acogió nuevamente a Sor Emmanuel. Allí va a entregarse, ahora no como novicia sino como Hermanita, «instalada en sus antiguas ocupaciones», es decir —escribía ella a Rose París— ocupada «en buscar el pan de nuestros pobres ancianos y prestando en la casa los pequeños servicios de los que soy capaz» (29 de diciembre de 1852).

Durante cuatro años, la colecta será la ocupación principal de Sor Emmanuel en esta pobre casa. Para los ancianos ella recorre las calles de París, aprovecha de sus amistades, responde a la invitación de sus amigos de Amiens.

Preparando este viaje escribía a Rose París:

«Tendrá que alojarme y alimentarme durante algunos días, pues ya sabe que no soy sino una pobre mendiga, por amor a Nuestro Señor, y lo seré todos los días de mi vida.»

Una carta del 30 de septiembre, dirigida al Padre Cacheleux, nos introduce en las profundidades espirituales de este atractivo:

«No puedo explicarle la alegría que llena mi corazón cuando pienso que soy tan pobre, que mendigo mi pan, que vivo de la caridad, que no me pertenece el hábito que llevo... Si pudiera ser más pobre, lo desearía con todo mi corazón. Padre, rece a Dios por mí para que

**Escena de la colecta en París
en tiempos de Sor Emmanuel**

pobre exteriormente, lo sea más en espíritu; que no tenga apego a nada, que me sirva de todo con espíritu de pobreza ya que es lo esencial en la Orden a la que el buen Dios me ha llamado...

»En mis idas y venidas, durante la cuestación, escribía, trato de estar bien unida a Nuestro Señor, en tanto en cuanto mi miseria me lo permite, y a vivir, por así decirlo, en su Sagrado Corazón; por nada del mundo quisiera separarme de Él.»

Nombrada Asistente en 1856, Sor Emmanuel compartía, prácticamente desde entonces, con su Madre superiora, la marcha de la casa, las preocupaciones y las pruebas, que no faltaron. En 1857 fallecieron, con dos meses de intervalo, una Hermanita y una novicia; después los ancianos fueron afectados por una epidemia. Para poderles cuidar había que suspender las colectas. Una limosna inesperada de 10.000 F, vino en ayuda de las Hermanitas quienes, más que nunca, se sentían en las manos de Dios. Sor Emmanuel, que desde hacía seis años se había entregado al Señor mediante la profesión temporal, aspiraba a comprometerse definitivamente: «A pesar de que todos los días renuevo mis votos, en mi corazón, para toda la vida, quisiera estar ligada por esos vínculos indisolubles», escribía a sus superioras.

La casa-madre y el noviciado de la Congregación estaban establecidos desde hacía tres años en La Tour Saint-Joseph, cuando Sor Emmanuel fue llamada para prepararse a la profesión perpetua. Estará allí desde febrero hasta septiembre de 1859. Entonces el Capítulo general le confió el gobierno de la casa que había dejado para ir a La Tour. Tuvo, pues, que marchar para París sin haber terminado su preparación. Volverá a La Tour diez meses más tarde para su votos perpetuos, en la fiesta de Santa Ana, jueves 26 de julio de 1860. Como cuando hizo su primera profesión en la Piletière, Sor María de la Cruz estaba también presente.

«¡Me siento ahora tan feliz! —escribía desde París—. En verdad puedo decir que ya pertenezco para siempre a Dios y a la pequeña familia. Este pensamiento tan consolador no me deja y, a veces, los ojos se me llenan de lágrimas; lágrimas de felicidad y de dulzura. Nunca podré expresar la alegría y la paz que Nuestro Señor me hace sentir de vez en cuando. Me he ofrecido a Él, con todo el corazón, para hacer siempre su voluntad. Todo se lo he abandonado, sin reservarme nada; no deseo ni sufrimientos ni alegrías ni cosa alguna sino adherirme a su santa voluntad. Mil veces le he confesado que no me ocuparé sino en amarle, en todas las ocasiones que quiera enviarme; que siempre buscaré la manera de cumplir mi cargo con toda la perfección que Él pida de mí, en Él y para Él...»

Debía hacer frente a la adquisición de los locales habitados por la «pequeña familia», a la construcción de un edificio para acoger cincuenta ancianos más, a la vida de la casa, día tras día...

«Pido por todas partes —escribía a su Superiora

general—, unas veces nos atienden, otras nos rechazan. Creo que el buen Dios quiere que emplee todos los medios que pone a mi disposición para pagar la casa; que me encarga de ello dándome a San José para que me asista.»

Las tareas materiales no absorbían, sin embargo, a Sor Emmanuel; su más profundo deseo era el de llevar a Dios a los pobres que llenaban la casa, el de sostener la generosidad de sus Hermanitas, en su vida religiosa y hospitalaria... Las fiestas de Pascua del año 1861 fueron la ocasión para que varios ancianos se encontraran con el Señor; «una anciana —escribía— ha renovado su primera comunión y salta de júbilo...»

Estando en París, Sor Emmanuel recibió la visita de sus hermanos. Por ellos, el Sr. Sheppard conocía la felicidad de su hija y la firmeza inquebrantable en su vocación. Poco a poco, su disgusto se irá atenuando; sin embargo jamás contestará a las cartas por las que Caroline le hace partícipe de su vida de Hermanita.

En 1857, la Sra. Sheppard murió, después de seis meses de sufrimiento, soportado con gran valor. El mismo año su hermano Henry fue ordenado en la Iglesia anglicana.

En el año 1860, el Sr. Sheppard fue a París con su hija menor, Fanny. Vieron a Caroline. Su hijo mayor George, enfermo, era cuidado desde hacía algunos meses, en la clínica de los Hermanos de San Juan de Dios, en la calle Oudinot. Este contacto prolongado con el catolicismo, conducirá pronto a George a entrar en la

Casa de La Tour,
en el municipio
de Saint Pern,
tal como la conocieron
en 1856, las
primeras Hermanitas

Uno de los hermanos
de Caroline,
probablemente Henry,
que llegó a ser
ministro en la
Iglesia Anglicana

Iglesia, después de su mujer. Con la ayuda de Caroline, éste recibió el apoyo de Mons. Manning, vicario general y futuro reemplazante del arzobispo de Westminster, que con ocasión de un viaje a París, fue a visitarle. Amigo del Padre Lelièvre, Mons. Manning diferirá su vuelta a Londres para recibir a George Sheppard en la Iglesia católica. A este propósito escribía Caroline:

«Ha recibido el santo bautismo tomando el nombre de Emmanuel. Mi hermano estaba en cama y su pequeña habitación estaba llena de testigos de esta ceremonia: el médico que lo había cuidado con tanta entrega, el Superior y varios Hermanos de la casa, el Padre Ernest, que ayudaba a Monseñor, una Hermanita y yo. Para mí fue un grandísimo consuelo.»

La «pequeña familia» de Londres-Paragon (San Pedro),
casa implantada en la diócesis de Southwark
en el verano del año 1860

X

A LA NUEVA FUNDACIÓN
DE LONDRES

Sor Emmanuel, durante los nueve años que estuvo en París, dos años al cargo de la casa de la calle Saint-Jacques, hizo maravillas. Sin embargo deja esta casa para formar parte del grupo de Hermanitas que se preparaban para ir a fundar una nueva casa en la diócesis de Westminster, pedida por su arzobispo. Ella sería, según expresión del Padre Lelièvre, «el principal instrumento escogido por Dios para realizar todo el bien que las Hermanitas hacen en el Reino-Unido».

El 7 de noviembre de 1861, llegaron a Londres y encontraron una casa con algunas camas, sillas y utensilios. La misma tarde les llegaron dos ancianos. «Todo su caudal cabía en un pañuelo, cuenta la crónica de la casa,[1] pero Nuestro Señor entraba bajo nuestro techo en la persona de estos pobres, y las Hermanitas se alegraron de ello. Rápidamente encendieron el fuego, prepararon la comida y comenzaron a instalar el dormitorio. Mientras hacían las camas, los dos ancianos, arrodillados, elevados sus brazos al cielo, hacían su oración;

---

[1] La de Paddington, en el barrio de Bayswater, fijada más tarde en Portobello Road.

La antigua calle Bond Street, de Londres, en el siglo pasado, hoy New Bond

eran felices y sus siervas no menos que ellos. Otros dos pobres llegaron al día siguiente.»

El 8 de diciembre, Sor Emmanuel, escribía a Rose París:

«Aquí soy la Hermanita cuestadora y cada día salimos para buscar el pan de nuestros buenos ancianos. Soy muy feliz de haber sido enviada a trabajar, para la gloria de Dios, en esta pobre Inglaterra.»

En efecto, ella era la cuestadora y ponía todos los medios para salir adelante: antiguas amistades, clero que le facilitaba las direcciones de los católicos y familias protestantes conocidas por quienes se esforzaba en hacer que se interesasen por la casa. A casa de éstas últimas, para las primeras colectas iban sin vestir el hábito religioso, con el fin de evitar el choque con sus sentimientos, tan lejanos entonces del catolicismo. Pero este proceder no durará mucho. Ya el 18 de noviembre, en que recibieron a cuatro nuevos ancianos, Sor Emmanuel escribía a la casa madre:

«Tenemos seis casas en donde nos dan los restos de las comidas, y nos reciben muy bien. En una de esas casas viven protestantes.[2] Salimos siempre con el hábito

---

[2] En la correspondencia de estos años —tanto la del Padre Lelièvre como la de Sor Emmanuel— el término «protestantes» para hablar de los cristianos no católicos, encierra de hecho realidades muy diferentes. En Londres y en otras ciudades

religioso; los sombreros casi no nos han servido; no se meten con nosotras.»

En Navidad la casa contaba con veintiún pobres, de los cuales dos eran mujeres, una de ellas revendedora de manzanas, la otra está descrita por las Hermanitas como «una pequeña abuelita, muy vieja, sucia, vestida con un viejo refajo y un gran chal que ocultaba sus harapos, con un sombrero todo deformado. ¡Qué alegría tuvimos al acogerla, ponerle una muda blanca, vestidos limpios y darle un té caliente!»

El año 1862 comenzaron las pruebas: Una epidemia de fiebre tifoidea afectó a la comunidad. Durante quince días, Sor Emmanuel y otra Hermanita estuvieron entre la vida y la muerte... Se las confió a santa Genoveva. Al terminar la novena, Sor Emmanuel sintió una mejoría repentina. Recuperó de pronto sus fuerzas, que le serían muy necesarias, pues la Superiora, Madre Saint-Louis, también tuvo que guardar cama. Al mismo tiempo que reemplazaba a la Madre, junto a las Hermanitas y ancianos, Sor Emmanuel continuó con las cuestaciones y las visitas a los bienhechores.

«Siempre tengo mucho que hacer —escribía poco

---

de Inglaterra, se trata esencialmente de *anglicanos,* miembros de la Iglesia de Inglaterra, y de *metodistas,* discípulos de John Wesley (1708-1791), reformador nacido en el anglicanismo. Por el contrario, los protestantes de Escocia son casi en su totalidad *presbiterianos;* la Iglesia presbiteriana de Escocia, implantada en el país por John Knox (1505-1572), está directamente ligada a la Reforma calvinista.

después al Padre Cacheleux — pero el Señor, tan bueno, me concede muchas gracias; me hace feliz y experimentar tanta alegría en su servicio que jamás le amaré bastante ni me santificaré suficientemente para su gloria. Mis cruces son pequeñas; muy a menudo ni siquiera siento su peso, sólo siento, y me pesa, hacer tan poco por el buen Dios y ver tantas almas, como conozco, alejadas de Él... Veo a mi padre de vez en cuando, sólo estamos a tres cuartos de hora de su casa. Este invierno ha estado muy grave y ahora no está muy fuerte. Espero que Nuestro Señor tendrá misericordia de él, ya que está tan lejos de la verdad.»

La Madre Saint-Louis, muy debilitada por la fiebre tifoidea, tuvo que marchar de Londres para ir a reponerse a la casa-madre. Sor Emmanuel, también esta vez, la reemplazó.

«Al marchar la Madre, sólo teníamos doce céntimos en la bolsa de San José —cuenta ella—; hemos podido pagar, sin embargo, los gastos de cada día así como la contribución de la casa, que ascendía a más de veinte libras. Tenemos ochenta y cinco ancianos en casa y, en estos días, esperamos otros cinco... Hermanitas somos trece... La colecta de las sobras de comida son cada día mejores y también hemos comenzado a pedir en el mercado. La semana anterior fui yo con una Hermanita... Hicimos como en Francia: nos presentamos ante aquellos vendedores campesinos —que venden a ciertas horas— con nuestro saco y, casi todos hombres y mujeres

71

(más hombres que mujeres), nos dieron algo: unos un manojo de zanahorias, otros un puñado de perejil, algunas berzas y cebollas en abundancia. Yo les hablé de nuestra obra, todos escuchaban atentos y la mayoría con interés. Los niños nos seguían y nos iban anunciando. Recibíamos algunas perras y un señor nos dio un chelín. Los vendedores de naranjas y limones nos reservaban algunos para nuestros enfermos pero sobre todo nos conmovió la generosidad de los pobres revendedores y revendedoras que superó a la de los ricos y que nos demostraban su simpatía. En fin, recogimos bastante; los que no nos daban nada, por lo menos nos respetaban. El buen Dios nos ayudó...»

Sobre las quejas de ciertos vendedores, su indiferencia, las injurias de los mendigos contrariados por esta competencia, Sor Emmanuel guarda silencio. Vuelve a casa bendiciendo con gozo a la Providencia por haber obtenido una buena colecta para los pobres; esto le bastaba.

En septiembre de 1862, la Madre Saint-Louis volvió a ocupar su puesto en Londres. Sor Emmanuel fue nombrada asistente, con la misión de ocuparse, según las necesidades, de las fundaciones que se preparaban. Un nuevo período iba a abrirse en el que la Congregación se extenderá rápidamente por Inglaterra, Escocia y después por Irlanda. Desde enero, una casa funcionaba ya en la gran ciudad industrial de Manchester. En el otoño de 1862 se abrirán otras dos, una en Glasgow y la otra en Bristol.

XI

SEIS PENIQUES... PARA COMPRAR EL PLANO DE GLASGOW

Eran las 9.30 h. cuando Sor Emmanuel y sus cuatro compañeras llegaban a Glasgow, la tarde del 26 de septiembre. Nadie las esperaba. Un mozo cargó su pobre equipaje en una carretilla; ellas le siguieron, por un camino embarrado, hasta llegar al convento de Franciscanas en donde recibirían hospitalidad. «Llamábamos la atención de los transeúntes; caía la noche pero las calles estaban llenas de gente que, sin duda, se extrañaban de este nuevo espectáculo, pues hasta entonces, en Escocia, no se había visto a ninguna religiosa salir con el hábito.» Líneas reveladoras de las dificultades con que iban a encontrarse las Hermanitas. «Aquí parecemos personas que han salido de otro mundo» —dirán ellas—. «En Escocia —escribirá más tarde el Padre Lelièvre—, las Hermanitas han pasado por toda clase de fatigas; la lengua, con ser una de ellas, no ha sido el mayor obstáculo. El protestantismo estaba armado con los más viejos prejuicios (...). En el orden espiritual las privaciones han sido extremas.»

Tres días después de la llegada a Glasgow, la comunidad se instalaba en el segundo y tercer piso de una casa sombría en donde «hay mucho que hacer y que

La Universidad de Glasgow, grabado del siglo pasado

limpiar». Habiendo salido para un recado, Sor Emmanuel, recibió de un transeúnte seis peniques. ¡Esta primera limosna, en Escocia, le sirvió para comprar el plano de la ciudad!

La primera cama de la casa fue pronto ocupada por una anciana que el Padre Gray, futuro coadjutor del Arzobispo, les había llevado. A pesar de su carácter nada fácil, esta anciana divertía a su entorno por su costumbre de fumar en pipa. Otras ancianas la seguirán.

Como en Londres, Sor Emmanuel fue al mercado con su compañera, siendo acogidas mucho mejor de lo que hubieran podido esperar. Una carta del 10 de octubre, dirigida a la casa-madre, nos permite seguirla durante estas primeras semanas en Glasgow:

«Solamente nosotras podemos salir aquí con el hábito religioso; ni los sacerdotes, a pesar de que visten como en Londres, son tan libres como nosotras. Se limitan a mirarnos; nunca nadie nos ha dirigido una palabra desagradable, sin embargo es una ciudad en la que apenas se quiere a los católicos (...) A pesar de esto, el buen Dios permite que podamos hacer la colecta con la misma tranquilidad que en Francia... Tenemos los sobrantes de las comidas de dos hoteles protestantes, de los más importantes de Glasgow: uno de ellos es el hotel de la Reina, el más grande de la ciudad, el otro es también bastante considerable.»

Hacia finales de diciembre, Sor Emmanuel escribió al Padre Cacheleux:

«Glasgow es una gran ciudad de manufacturas. Hay muchos católicos, en su mayoría pobres... Toda la riqueza se encuentra entre los protestantes, que aquí son más rígidos en prejuicios que en cualquier otro lugar. Se temía por nosotras pero, incluso los protestantes, nos tratan muy bien. Nuestra pequeña casa sólo tiene capacidad para veintitrés mujeres... Yo soy al mismo tiempo Buena Madre,[1] para llevar a cabo la fundación, y Hermanita cuestadora para implantar la colecta y proveer a la casa de recursos. No puedo ser más feliz de lo que soy y espero que, el año próximo, San José nos dará una casa grande.»

El cometido de Sor Emmanuel, como puede observarse, sólo es transitorio. Una vez que la casa estuvo sólidamente establecida, marchó para una misión idéntica, sin otro equipaje que el amor a Dios y a los pobres que ella vivía heroicamente.

«Ciertamente la Buena Madre Emmanuel, hace buena provisión de méritos en Glasgow —escribía de ella la Madre superiora—. Es maravilloso ver cómo atiende a todo; corre todo el día y cuando entra en casa quisiera, si pudiera, hacer todo lo que hay que hacer en ella; por ejemplo, aún no me ha dejado escribir nada. Además, todos los días, nos da una clase de inglés; en fin, como si Dios quisiera secundar su celo, las personas que vienen a visitarnos, llegan cuando ella está en casa...»

---

[1] Sor Emmanuel había sido delegada por la casa-madre, sin ser Superiora de la casa.

XII

1863: DE DUNDEE A EDINBURGH

Una nueva fundación se preparaba en Escocia. El agente providencial fue un comerciante francés de Dundee, católico fervoroso y generoso, el Sr. Thiébault. Conocía al Padre Lelièvre a quien, ante la miseria y el número de ancianos de la ciudad, le suplicó que hiciera ir a las Hermanitas. Él mismo hará todos los trámites necesarios ante el Obispo y procurará el dinero para la compra de una propiedad en los suburbios de Lochee, en abril de 1863. Será el amigo fiel tanto en los días buenos como en los malos. Hablando de la situación financiera de la casa que le ha sido encomendada, Sor Emmanuel dirá: «La bolsita de San José siempre tiene lo necesario para pagar nuestras deudas. El Sr. Thiébault se niega obstinadamente a recibir nuestro dinero, a pesar de que estamos en "deuda" con él, en muchas cosas... Nunca le parece bastante lo que hace por la casa. Es nuestra Providencia.»

En Dundee fue donde se inauguró la primera colecta de «penique», con los obreros de las fábricas por iniciativa de uno de ellos, cofrade de San Vicente de Paúl. El sábado, día en que se cobraba, provistas de sacos, uno grande para el pan y otro pequeño para el dinero, dos Hermanitas recorrían las calles, entrando en las pobres

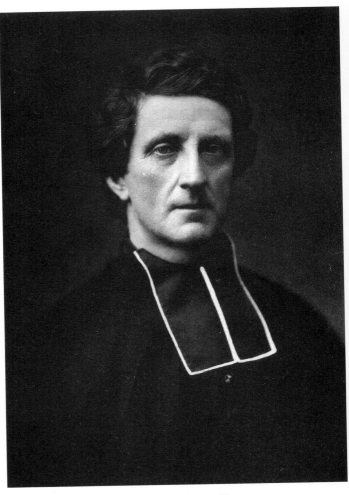

El Padre Ernest Lelièvre
(1826-1889)

casas, unas veces subiendo a las buhardillas, otras bajando a los sótanos; siempre encontraban a las familias. La pobreza era grande pero también lo era la generosidad. Todos se apresuraban para darles, honrados de recibirlas. La mayoría eran irlandeses católicos, familias obreras con gran respeto, movidos por el espíritu de fe, hacia los sacerdotes o religiosos. Consideraban como un beneficio para ellos el que éstos les visitasen. Las Hermanitas, al marcharse de este barrio pobre, recibían la invitación de volver. La colecta de los sábados se generalizó aportando un verdadero auxilio a las casas de Gran Bretaña.

Una carta de Sor Emmanuel a la Superiora general, escrita desde Dundee el 4 de mayo de 1863, revela su profundidad y desinterés, así como su humildad, en la delicada misión de las fundaciones:

«Su carta —dice— me hace comprender cuál ha de ser mi proceder en las fundaciones y que la Buena Madre debe guardar su puesto y ser reconocida por todos como tal. Mi deseo es, como usted me dice, ponerla en su lugar y ocultarme yo, en la medida de lo posible, pues siento que yo aparezco demasiado y ella no suficientemente; que hacen demasiado conmigo y muy poco con ella... Con frecuencia temo no mantenerme bastante pequeña ni unida a Dios en medio de tantas ocupaciones que me envuelven continuamente... Tengo muchas razones para humillarme y para no preferirme a quienquiera que sea, pues no sé cómo me encuentro ante Dios, sólo sé que estoy llena de miserias...»

En el sobre de esta carta,
dirigida por Sor Emmanuel a su Madre general,
se pueden seguir las diversas etapas postales,
desde que marchó de Lochee
(suburbio de Dundee),
el 8 de junio de 1863,
hasta su llegada a Bécherel
cuatro días más tarde

«¡Llena de miserias!», subraya ella. El Padre Lelièvre, que desde hace muchos años la veía en medio de sus ocupaciones, pensaba de otro modo: «¿Verdad que Madre Emmanuel es extraordinaria? Su atención a todo lo que hace y su gran unión con Dios; su espíritu de oración y su presencia de espíritu; el arte de aparecer como si no supiera nada y, sin embargo, hacerlo todo bien, me hace pensar que no hay ninguna otra persona con un corazón y un espíritu más entregado a la gracia y menos movido por ella misma.»

Después de la fundación de Dundee, Mons. Gillies deseaba una segunda, esta vez en Edinburgh. Con el Padre Lelièvre, Sor Emmanuel será otra vez la llave maestra. Esta tercera fundación en Escocia comenzará el 8 de septiembre de 1863.

Las primeras crónicas cuentan los comienzos, muy parecidos a los de las fundaciones de Glasgow y Dundee: colectas penosas, acogida cordial por parte de los católicos, prevención de los protestantes, falta de ayuda religiosa por ser una región con un número muy reducido de sacerdotes... «En Glasgow teníamos a Mons. Gray, en Dundee al Sr. Thiébault, aquí sólo tenemos al buen Dios», escribía Sor Emmanuel.

En Dios encontrará la fuerza para hacer frente a las pruebas que pronto surgirán. Su correspondencia, en las primeras semanas, revela, más o menos, las dificultades normales en una fundación de este género. Una de sus cartas, sin embargo, vale la pena ser citada ampliamente. Dirigida a la casa madre, tiene fecha del 29 de septiembre.

Un diseño trazado a toda prisa ilustra la descripción:

«La semana pasada hemos recibido un regalo precioso y que ciertamente debemos conservar siempre en esta casa como recuerdo de los humildes comienzos y, al mismo tiempo, como expresión de pequeñez y pobreza.

»No sé cómo explicarle para que pueda hacerse una idea: no se trata ni de un coche ni de una carretilla de mano, es como un pequeño cofre colocado sobre dos ruedas con una tercera rueda delantera y una especie de mango como se pone en los coches de los niños, para tirar de ellos. Es tan pequeño que se parece a uno de esos organillos que los pobres italianos llevan por las calles de Londres, con un mono colgado delante para divertir a los que pasan y ganar algunas monedas. Este cofre se abre como las cajas y contiene nuestro equipaje de colecta, es decir, dos o tres barreños, un saco con mendrugos y algunos cestos o bultos; dado que el número de ancianos aumenta, a veces hacemos dos viajes. Cuando el hombrecillo que tira de nuestro pequeño equipaje se para para darnos los barreños, los niños acuden de todas partes corriendo para mirar nuestro cofre y descubrir los misterios que se encierran en él; lo hacen con facilidad pues muy pequeños tienen que ser para no poder ver lo que hay dentro. Yo admiro la paciencia de nuestro hombrecillo en estas circunstancias. Tiene un carácter de escocés; no es impetuoso, no trata con brusquedad a estos pobres pequeños que, con toda naturalidad, son atraídos por la novedad del espec-

**El pequeño cofre verde o «coche de Tom Pouce»,
dibujado por Sor Emmanuel**

táculo y el deseo de saber lo que ese curioso cofre verde
encierra. En fin, aquí se le llama el "coche de Tom
Pouce" y, ciertamente, el buen sacerdote que nos lo ha
regalado, ha comprendido bien el espíritu de nuestra
vocación. Con este coche por las calles, se comprenden
fácilmente los sentimientos de la santa humildad, que
llega hasta la pequeñez; una se siente de verdad
mendiga en toda la extensión de su vocación. Sin duda
el coche y el caballo llegarán más tarde, y nos son bien
necesarios a causa de nuestros pobres, pero mientras el
buen Dios nos deja esta ocasión para practicar la humildad, hay que aprovechar. Estoy muy contenta de que en
estos humildes comienzos se comprenda el espíritu que
debe animarnos en todo.»

Lienzo del pintor inglés James Collinson (1866-1867) realizado en Londres

La muerte de Mons. Gillies, el 16 de febrero de 1864, iba a hacer más crítica la situación de los católicos de Edinburgh. ¡En aquella época estábamos muy lejos de las relaciones ecuménicas actuales! En cuanto obra católica, las Hermanitas eran el blanco para una parte de los protestantes. El artículo sectario de un ministro, publicado en la prensa, desencadenó una explosión por toda la ciudad y el mejor de los hoteles se cerró para las colectoras. Después tuvo lugar una controversia entre los protestantes quienes estaban, unos a favor y otros en contra de las Hermanitas. Finalmente el hábito religioso provocó otra tempestad... El apoyo de los católicos salvará la situación de la miseria durante estos meses difíciles y todo volverá al orden cuando el periódico protestante más cotizado tome la defensa de la casa.

Pero seguirá otra prueba: «El propietario de la casa que habitan las Hermanitas en Edinburgh, les ha notificado que ellas y los ancianos tendrán que marcharse en el próximo mes de mayo —explica el Padre Lelièvre— y viendo lo que pasa se diría que se ha formado una especie de liga entre los otros propietarios para no alquilarles ni venderles ninguna casa... La Buena Madre Emmanuel estará allí en esta semana y tiene toda la confianza en Dios que necesita para triunfar.»

En efecto, salió adelante, pero al precio de múltiples trámites y llamadas. Un viaje a La Tour le permitió exponer la situación a sus superioras. A la vuelta hizo un alto en Amiens «para tratar de sacar alguna cosa.» El

Padre Lelièvre organizó una lotería, sostenida por los socios de la «Tirelire»[1] y los donativos de los católicos de Francia y Bélgica. El Papa Pío IX ofreció un hermoso camafeo con la efigie de Santa Eduvigis; el Emperador Napoleón III hizo enviar cuatro lotes... El resultado fue satisfactorio, pero la situación se complicó hasta el extremo. Ahora había que ver cómo poner de acuerdo cuatro voluntades opuestas —las de los co-propietarios y las de los arrendatarios— para salvar la fundación de Edinburgh. La solución se obtuvo el 14 de enero de 1865. Al anunciarla a uno de sus amigos, el Padre Lelièvre escribía dos semanas más tarde:

«Mi alegría por Edinburgh es muy grande. Dios ha librado a la pobre Madre Emmanuel y a sus Hermanas del peor de los pasos que puede imaginarse y creo que no ha habido en la familia una situación más crítica ni una intervención de la divina Providencia más visible.»

---

[1]   Ver página 93

XIII

VUELTA A INGLATERRA

Dos acontecimientos familiares van a marcar para Sor Emmanuel el comienzo del año 1864: el matrimonio de su hermana Fanny con el reverendo John Curwen Simpson, ministro anglicano, el 5 de enero y, algunas semanas más tarde, el matrimonio de su padre con una joven, Rosa Holmer. «Ésta es casi católica —confió Caroline a Rose París…— Su corazón le pide una religión basada en el amor. Dios ha permitido que me haya cogido gran afecto y que tenga tanta confianza en lo que yo le digo...»

Aunque muy cercana al catolicismo —pertenecía al Movimiento de Oxford—, la joven Sra. Sheppard no pasará el umbral. La niña que dará a Samuel Sheppard, en diciembre de 1865, no será bautizada en la Iglesia católica. Caroline guardará siempre un gran respeto por su padre y rodeará de afecto a su joven madrastra, cosa que a Fanny y a sus hermanos Henry y Edmund (George había muerto en noviembre de 1864) les costaba aceptar.

Sor Emmanuel estaba en Dundee cuando se enteró del fallecimiento de su padre, el 8 de mayo de 1870. Desde el día en que Caroline anunció a su padre su entrada en la Iglesia católica, no dejó de esperar y de

Estatua de San José
(el gran proveedor) que
honraba la fundación
de la Casa de Birmingham

Abajo:

La Casa de San Pedro en
Londres-Paragon de la
cual fue nombrada
Superiora en 1865
Sor Emmanuel

pedir a Dios la misma gracia para él. Samuel Sheppard morirá unitario. No cabe la menor duda de que la oración incesante y el sacrificio de su hija, le habrán obtenido de Dios una misericordiosa acogida.

Pero volvamos al año 1864. En marzo, Sor Emmanuel hizo una nueva fundación, la de Birmingham, en condiciones muy parecidas a las precedentes. Allá como en otras partes, todo faltaba menos la confianza y la intrepidez de las Hermanitas cuestadoras.

Faltaban las tazas para el té o el café... Sor Emmanuel pensó que como la ciudad era grande, pidiendo una o dos tazas en cada establecimiento de loza, tendrían para proveer a la casa. En la primera tienda que entraron encontraron al dueño que, leyendo el prospecto que explicaba la obra hospitalaria, les prometió enviarles algunas tazas. ¿Lo hará realmente? Sor Emmanuel, que no estaba muy segura del resultado, dejó de seguir buscando. «Al día siguiente —escribía— llegó un hombre cargado de tazas ensartadas por un cordón y llevadas sobre sus hombros; llevaba una carta dirigida a las Hermanitas de los Pobres en la que el dueño nos ofrecía, atentamente, las tazas, diciendo que si todavía nos faltaban estaría muy contento de enviárnoslas. Contamos las tazas y había justo para el número de personas que pensábamos acoger...» La historia de la fundación abunda en intervenciones del mismo género.

Londres, Manchester, Bristol, Glasgow, Dundee, Edinburgh y Birmingham son las casas en que, una tras otra, reclaman a Sor Emmanuel.

Los primeros meses de 1865 transcurrieron viajando

Home of the Little Sisters of the Poor,

St. Joseph's House,

OAK COURT ROAD, HARBORNE. *near Birmingham*

The LITTLE SISTERS of the POOR are obliged to give up their Establishment in the Crescent, and consequently to build a new Home on ground procured at Harborne, for the reception of 130 aged and infirm poor of both sexes.

The Little Sisters beg to state that they have no funds whatever, available for the building, but are wholly dependent on the charity of the public for raising the new building. They will be most grateful for the smallest donation.

Este proyecto, que divulgaba los fines de la Obra, se lo mandó Sor Emmanuel al Sr. Marest el 12 de octubre de 1873, desde Birmingham

de una a otra casa. El 4 de febrero, Sor Emmanuel, llegó a Plymouth y se hospedó en el obispado, para tratar un proyecto de fundación que se realizaría en septiembre. Otra tendrá lugar en Leeds, el 27 de diciembre.

Nombrada Superiora de la casa de Londres-Paragon (San Pedro) por el Capítulo general de 1865, Sor Emmanuel llegó en otoño.

«Tenemos aquí ciento veinte pobres, escribía a Rose París; es una casa en donde hay mucho que hacer, tanto dentro como fuera de ella; el trabajo no me falta.»

Junto con la misión de Superiora hacía también, muy a menudo, el oficio de Hermanita cuestadora, bien desde su despacho o por las calles y los mercados de Londres. Las cartas del Padre Lelièvre la describen en este oficio:

«Hay que pagar al carnicero y al panadero, dice Madre Emmanuel. Para el sábado necesitamos *tanto*, luego *lo* encontraremos. Ésta es su lógica, que quisiera para mí...»

A uno de sus amigos de Rouen, Paul Le Picard, explicaba que «Madre Emmanuel se ha lanzado con valentía en medio de un peligro que hasta entonces no se había tenido la osadía de afrontar. Anteayer fue a pedir al gran mercado de pescado, en un barrio muy malo de Londres... Obtuvo una comida completa para sus pobres y piensa añadir este oficio a todos los que ya ejerce...»

En noviembre de 1865, el Padre añadía: «Ha hecho litografiar una tirada de dos mil ejemplares de un pequeño prospecto en el que explica el fin de la obra y

cómo ésta se sostiene gracias a las colectas. Se ha dirigido al primer litógrafo de Londres, quien ha hecho todo
gratuitamente. Después ha pensado que lo harían mejor
en una imprenta y allá se ha dirigido, obteniendo tres
mil prospectos que le servirán a domicilio y sin cobrar
nada. ¿Verdad que es una buena cuestadora?»

Ella misma escribió a uno de los bienhechores de
Amiens:

«El Padre Ernest me ha entregado una moneda de
oro diciéndome que ha sido usted quien la ha enviado;
no me ha sorprendido pues estoy habituada a ver llegar
la Providencia del Buen Dios a través de usted; siempre
nos llega a punto.

»Llueve tanto desde hace dos semanas que casi no
hemos podido salir a la colecta en metálico; resulta, con
frecuencia, imposible poner el pie en la calle y sin
embargo tenemos que pagar todas las semanas al
panadero y al carnicero. En fin, gracias al buen Dios,
podemos salir de apuros.

»Nuestra colecta en la catedral, el otro domingo, nos
ha dado ciento treinta libras y por las casas cercanas, de
antiguos conocidos míos, hemos recogido setenta libras.
En una de estas casas me he encontrado con una tía mía
que nos ha dado hospitalidad para pasar la noche y
además una moneda de oro de 12,50 F.»

Esta carta, de octubre de 1865, está dirigida al señor
Louis Marest, el fiel cajero de la «Tirelire». Esta asociación a la que ya nos hemos referido, contribuyó al
«salvamento» de Edinburgh.

XIV

LOS AMIGOS DE LA «TIRELIRE»

Mientras Sor Emmanuel estaba al frente de la casa de Londres-San Pedro, el impulso de las fundaciones continuaba: el 20 de agosto de 1866, un grupo de Hermanitas llegaba a Newcastle; febrero de 1868 vio los comienzos de la primera fundación en Irlanda. «Tengo buenas noticias de Waterford —escribía en esta fecha el Padre Lelièvre—; se ha encontrado la casa y pasará a nuestro poder el primero de febrero. Todos los días espero el acta para firmarla.»

¡Las necesidades, ya enormes, no hacían más que crecer! A la ayuda aportada por la casa-madre y a la generosidad de las personas del lugar, pronto se sumó la ayuda organizada por los amigos de Francia y Bélgica que, con verdad, puede decirse que adoptaron las fundaciones de Inglaterra, Escocia e Irlanda.

Hacia 1865, se creó una especie de institución, llamada la «Tirelire» (la «Alcancía»). La presidenta era la Sra. Ledieu, de Amiens, mujer admirable y gran amiga de las Hermanitas; el tesorero, su hermano, el Sr. Louis Marest, propietario de una fábrica de hilados en la misma ciudad.

El Sr. Paul Le Picard, en Rouen, también se había hecho infatigable proveedor y, con él, algunos amigos

**El Sr. Paul
Le Picard,
amigo generoso
de las
Hermanitas
que vivía
en Rouen**

que se comprometieron a una suscripción mensual, más o menos valiosa.

Se ha dicho[1] que la «Tirelire» no se conformó mucho tiempo con las cotizaciones mensuales de sus abonados sino que pronto se añadió una especie de ayuda casual, compuesta por dones extraordinarios hechos por personas extrañas al comité, o por limosnas suplementarias dadas por los mismos asociados con ocasión de la proximidad de una fiesta, por una necesidad imprevista en Inglaterra, una nueva fundación o incluso por un incremento del celo de algunos de ellos.

[1] Citado por Arsène Leroy, en «Histoire des Petites Soeurs des Pauvres», París, Poussielgue 1902, pág. 169.

La fuente, abierta en Amiens, debía manar mucho tiempo.

Desde este momento se mantendrá una correspondencia entre los responsables de la «Tirelire»: el Padre Lelièvre —que dará, en la medida de lo posible, dos veces por semana noticias de las nuevas fundaciones al Sr. Marest— y Sor Emmanuel. De esta última se conservan setenta y siete cartas al Sr. Marest y nueve al Sr. Paul Le Picard.

Descargada de la responsabilidad de la casa de Londres-San Pedro, en septiembre de 1868, Sor Emmanuel fue nombrada asistente de la casa de Portobello Road (Londres-San José).

Al mismo tiempo le fueron confiadas, junto con Madre Saint-Joseph, las casas de Inglaterra, Escocia y la de Irlanda. El Padre Lelièvre había marchado en mayo a América en donde trabajaba en el establecimiento de la Congregación, con el mismo ardor que en Gran Bretaña.

Sor Emmanuel, pues, volvió a su actuar itinerante en el otoño de 1868, compaginando sus colectas en Londres con las misiones que le eran confiadas en una u otra de las fundaciones. Una carta con fecha del 20 de septiembre al Sr. Paul Le Picard, describe la situación de cada una de las casas que acababa de visitar:

«Desde mi vuelta de Francia *(para el Capítulo general de septiembre de 1868),* he tenido que instalar a las Buenas Madres de Inglaterra y de Escocia y así, este último mes, he tenido ocasión de ver todas las casas, más o menos, y darme cuenta de lo que hay que hacer en este país.

»Bristol, la primera en la lista de las instalaciones, es una casa pequeña, muy probada, pues probablemente, dentro de seis meses van a expropiarnos y estaremos obligadas a buscar cualquier casa para cobijarnos con nuestros sesenta pobres. La casa es propiedad nuestra y está bien situada para nuestras colectas pero, al menos que San José intervenga, no nos será posible permanecer en ella.

»En Birmingham la casita va bien. Tiene necesidad de una capilla y está en proyecto su construcción en el jardín. Esperamos poder comenzar el verano próximo, si el buen Dios nos envía buenas colectas, pues aún tenemos una gran deuda de su compra.

»En Manchester, la capilla se está construyendo y tendremos necesidad de más de 25.000 F para pagarla, sin embargo las colectas son abundantes y se puede decir, en verdad, que Dios bendice esta casa.

»Después de Manchester está Leeds, la más pequeña de todas, con veinticinco pobres: allí hay mucho que hacer. Se ha comprado un pequeño terreno y se construye una gran casa; se ha empezado una pequeña parte (menos de la mitad) y sólo esto asciende a 75.000 F o un poco más, sin contar los gastos de la instalación.

»En Newcastle la casa contiene apenas cuarenta pobres, de éstos, diez son hombres que duermen en la galería y comen en una cuadra que, provisionalmente, se ha transformado en sala, a buen precio. Necesitamos construir un lavadero que costará 3.250 F; el buen Dios nos procurará este dinero, pues no tenemos ni un céntimo. Nuestra gran esperanza es nuestro depósito; ruego al Sr. Paul diga, de nuestra parte, una palabrita a esas buenas señoras que usted conoce y que han prometido hacer algo por nosotras.

»Queda todavía Plymouth en donde lo extraordinario es su pobreza; los recursos son escasos. Sin duda siempre será una casa pequeña.

»En Edinburgh tenemos una casa muy bonita con un buen jardín, pero necesita una capilla. La pobre habitación que hace de capilla es muy pequeña y los domingos y festivos, para poder asistir a la santa misa, la pobre gente tiene que apiñarse. La construcción del año pasado todavía no se ha pagado, sin embargo la Buena Madre y las Hermanitas están resueltas a hacer la guerra a San José para obtener lo necesario y poder comenzar el próximo verano la capilla. Se calcula que costará unos 7.500 F, comprendidos los bancos. No es caro para una capilla con capacidad para ciento cincuenta personas, que es lo que necesitamos. Yo espero que San José pondrá su mano.

»Toca ahora a Glasgow, casa con cien pobres, comprada pero que aún no se ha pagado. Tendremos veinte pobres más. Tiene capilla. La ciudad es más grande que Edinburgh y los recursos más abundantes.

»Dundee tiene más o menos ochenta pobres. Tenemos una deuda por la adquisición del terreno de la que hay que pagar los intereses. Las colectas no son abundantes ni en especie ni en dinero. Lo que sostiene, en gran parte, la casa, es el dinero de los pobres.

*Je termine, bon Mr Marest, en vous re-
merciant de nouveau de toutes vos bontés*

Je suis en Jésus et Marie

Votre très humble et très dévoué servant

Sœur Emmanuel pr dp

El Sr. Louis Marest, fiel tesorero de la «Tirelire»

»En cuanto a las dos casas de Londres, la pequeña de San Pedro sale adelante, mientras que la pequeña, o más bien grande, de Portobello, con sus doscientos ancianos, es verdaderamente pobre, pues está acribillada de deudas. Se ha construido mucho en dos años y la capilla acaba de terminarse. Espero que el buen Dios venga en nuestra ayuda.»

En el mes de noviembre, Sor Emmanuel volvió a las cuestaciones en ese Londres que había recorrido ya tantas veces. Habló de ellas al Sr. Marest el 25 de noviembre de 1868:

«Debo marchar mañana... para pedir, de puerta en puerta, por las pequeñas villas de nuestra diócesis, en los alrededores de Londres. La última vez hemos hecho una ronda de ocho días; hemos ido a las casas de los católicos y de los protestantes, de los ricos y de los pobres. Algunos días nos han tratado como a princesas, en magníficos salones, servidas con cubierto de plata y acostadas sobre colchones de plumas; al día siguiente sólo teníamos para comer, en camino, algunos mendrugos de pan o bien aceptar lo que podían darnos los pobres que nos ofrecían hospitalidad, pero siempre con nuestra bolsa colgada del brazo por miedo a que nos la robaran. Hemos hecho muchas leguas a pie durante esta semana y el buen Dios ha bendecido nuestra colecta. Portobello es una sima. Todo en ella desaparece muy aprisa. Rece un poco, mi buen Sr. Marest, que Dios disponga los corazones para que den a estas mendigas.

**La capilla de Londres-Portobello,
terminada en 1868**

»Después de esta semana de colecta, haremos nuestro retiro. Nuestro Señor nos llama a descansar un poco y a retirarnos del mundo para coger nuevas fuerzas y un nuevo impulso en su servicio.»

La «sima» de Portobello no impidió a Sor Emmanuel preocuparse por otras casas. En junio de 1869 agradecía al Sr. Paul Le Picard un cheque, recibido esa misma mañana, y le anunciaba la construcción de una capilla en Edinburgh.

«Ha sido un rasgo de San José, pues nunca se podría haber imaginado que un modesto comerciante de vestidos, en un barrio pobre de la ciudad, se pusiera a construir una capilla que costaría cerca de 15.000 F. Sin embargo se ha comenzado. El Sr. Obispo ha puesto la primera piedra. Este buen señor es un irlandés que en poco tiempo ha perdido a su mujer y a sus hijos. Ha sentido que Dios le pedía que, con el dinero acumulado de sus ventas, debía hacer algo en bien de su alma. Entonces ha adoptado a las Hermanitas por hijas suyas e incluso ha dicho que San José no le ha dejado en paz hasta que ha prometido construirles la capilla.»

En marzo de 1870, Sor Emmanuel fue encargada, provisionalmente, de esta casa de Edinburgh. Un año después marchó a Irlanda para la adquisición de un terreno en Waterford, en donde la casa «a pesar de ser tan pequeña e incómoda», contaba ya con setenta y cinco pobres y diez Hermanitas.

Reclinatorio usado por Sor Emmanuel

XV

1872-1878: BIRMINGHAM

El Capítulo general, reunido en la casa-madre en septiembre de 1872, nombró a Sor Emmanuel Madre Superiora de Birmingham, una casa bien conocida por ella puesto que, seis años antes, la había fundado en Crescent Cambridge.

Vuelto de América el verano anterior, el Padre Lelièvre tomó, en septiembre, el barco hacia Inglaterra. «Birmingham —escribía después de su visita— está de lleno en la construcción de una casa de ladrillo rojo, en el pueblo de Harborne, en las afueras. ¿Será el concierto anual de Talbot y sus compañeros de la fundición de Hardman o la campaña de caridad que se prepara para octubre quien nos sacará de apuros? Se reza, se pide; se corre rezando y se ora corriendo; si habláramos del esfuerzo de Sor Emmanuel, no se nos creería.»

Una vez terminados los trabajos, había que pagar al empresario. «A pesar de que las colectas son bastante buenas —escribía esta última al Sr. Marest en la primavera de 1874—, son como una gota de agua en el océano. Pero no quiero desconfiar, en absoluto, de la bondad de Dios ni desalentarme ante las dificultades que se presentan. ¡Ya es una maravilla de la divina Providencia el que hayamos podido salir adelante hasta ahora, con una construcción que ha costado 225.000 F y que para comenzar sólo se contaba con 25.000 F!»

La última carta desde Harborne, del 11 de noviembre de 1877, fue también para agradecer al «buen señor Marest»: «Gracias por su cartita y por su contenido. Por el momento no tengo grandes esperanzas de recibir ningún cheque —a pesar de que, como usted sabe, siempre llegan a punto— a causa de nuestras casas de España y también por nuestra benjamina de Londres que tendrá necesidad de tanto, tanto dinero para la nueva construcción que va a empezarse.»

La fundación de Londres Santa-Ana que Sor Emmanuel acababa de evocar, comenzó en julio de 1876. En el transcurso de doce meses le habían precedido otras tres: en Liverpool, Burkenhead y Cork (Irlanda).

En Manchester, había sido pedida también una segunda casa. Algunas Hermanitas se preparaban para partir cuando Sor Emmanuel terminó su mandato en Birmingham. Dejó esta casa poco después de septiembre de 1878, feliz —como escribía a Rose París— «de ser liberada de su pequeña carga y volver a ser simple Hermanita».

XVI

ESTAR SIEMPRE CON JESÚS

Fue a Plymouth —una casa abierta en 1865— a donde llegó Sor Emmanuel en otoño. Permanecerá allí muy poco tiempo. El clima húmedo de este puerto de la costa suroeste de Inglaterra, no convenía para su salud. Padecía de asma y pasaba, una parte de sus noches, sentada; penosas crisis le impedían acostarse.

Londres volvería a verla pronto, primero en San Pedro y seis meses después en Santa Ana. En diciembre de 1879 escribía al Sr. Marest diciéndole que había ido «con el fin de ayudar a encontrar con qué pagar esta gran casa que comienza a llenarse de pobres. He vuelto a mi antiguo oficio de cuestadora —añadía—. Todos los días voy de puerta en puerta, sobre todo a las casas de los protestantes, para recibir las pequeñas limosnas que me dan con gusto, a pesar de que el comercio marcha mal en Londres.»

Sin inquietarse por su salud, que en adelante será frágil, ella misma se ofreció para esta misión. «Sor Emmanuel corre por todas partes para obtener las sobras en los hoteles; cuando no le dan nada, es por absoluta imposibilidad», se lee en una crónica de la casa. Y sin embargo, el asma no la dejaba. En plena calle violentas crisis la obligaban, a veces, a pararse para intentar rehacerse... «El buen Jesús me impide correr estos días; tengo que quedarme en casa a causa de un pequeño ataque de asma que será, creo yo, el achaque de mi vejez, así que la pluma tiene que suplir a las piernas», escribía el 23 de marzo de 1881. Pronto no podrá salir más... Por sus cartas a Amiens o a Rouen, continuará exponiendo las necesidades de la casa, que cuenta con cerca de cien ancianos, y agradeciendo a los asociados de la «Tirelire». La muerte de la Sra. Ledieu, en febrero de 1882 y la de Rose París a finales de este mismo año, dejaron un vacío entre sus fieles amigos.

«No viajo desde hace varios años —explica en esta época al Padre Cacheleux—; continúo en Londres en mi pequeño oficio de portera y al cuidado de la capilla. No puedo ser más feliz de lo que soy, como sabe usted que lo he sido desde mi entrada en las Hermanitas de los Pobres.» Le quedaba de vida, apenas año y medio: tiempo de sufrimientos físicos, fecundo para ella y para su comunidad.

Desde el día de su bautismo en Amiens, el 29 de junio de 1847, Caroline se había entregado a Dios sin reserva. En esta última etapa de su vida, las cartas que dirigía a sus Superioras, revelaban el fondo de su alma.

«Quisiera vivir en Dios, perderme en Él, actuar en Él. siento esta necesidad de Nuestro Señor, esta hambre de entrar en una unión más estrecha, en una vida más interior...

»Mi mayor dicha —escribía también— está en aplicarme a la vida interior, en vivir con Jesús y María, pero Nuestro Señor se oculta tan a menudo, que nunca estoy segura de poseerle. Quisiera estar siempre con Jesús. Temo perderle por mis infidelidades, mis faltas, todas mis miserias. Siento cada vez más que estoy separada de todo y que verdaderamente Jesús lo es todo para mí. Creo que sólo puedo encontrar gusto en Él y en lo que a Él se refiere; cuando la alegría interior me falta, no tengo ninguna; trato de cumplir mis pequeños oficios por Dios, como la Santísima Virgen... Por su gracia, a nada me siento apegada y estoy pronta para hacer lo que se me diga. Pido, sobre todo a Nuestro Señor, que me mantenga siempre interiormente muy, muy pequeña y que haga en mí lo que le agrade sin que yo ponga ningún obstáculo.»

El 28 de enero de 1884 Sor Emmanuel escribió de nuevo al tesorero de la «Tirelire». Esta carta —la última de una correspondencia comenzada hacía 20 años— la describe totalmente:

«Me parece que hace mucho que no le he escrito y hoy quiero encomendarme a sus oraciones, pues me hago vieja. Hace, más o menos quince días, que no salgo de la enfermería de las Hermanitas en donde estoy instalada debido a esta opresión que me incapacita para cualquier oficio; lo único que puedo hacer ahora para ayudar a nuestra Buena Madre, es escribir algunas cartas en inglés y coser un poco. Me acuesto temprano y no me levanto hasta la hora de la Misa; después del desayuno, en el refectorio, subo a la enfermería en donde permanezco todo el día, es decir, todo el día estoy en reposo. Ésta es mi vida en estos momentos. Debo permanecer completamente quieta pues apenas me muevo un poco, me asfixio.

»La deuda que nuestra Buena Madre tiene con usted, le abruma como un peso inmenso (...) Mi buen Sr. Marest, perdóneme si me permito solicitarle el mismo favor que su bondad me concedió al final de mi estancia en Birmingham. Ya se acordará con qué bondad usted me condonó el resto de una deuda que me preocupaba mucho. La que ahora tenemos es más que el doble pero le pido que nos perdone sólo la mitad, es decir, doscientas cincuenta libras; con la gracia de Dios, esta suma será liquidada antes del Capítulo[1] en plazos de cincuenta libras cada mes. Quizás sea éste el último favor que le pida. ¿Quién sabe si no habrá llegado la hora en que Dios, en su misericordia, me lleve de este mundo para hacerme gozar de su divina presencia? Ya he cumplido sesenta años, soy vieja, estoy gastada, buena para ningún oficio pero todavía puedo rezar al buen Dios; le prometo, mi buen señor Marest, que me acordaré de usted todos los días en mis oraciones particulares y pediré por todas sus necesidades.

»El buen Dios hará que nunca le pese habernos concedido este favor; jamás sentirá haber perdido esta suma de dinero, por el contrario, el buen Jesús y su Santa Madre, le devolverán el céntuplo concediéndole abundantes gracias por su caridad para con la casa de Santa Ana.

---

[1] El Capítulo general de septiembre de 1884.

»Y ahora le dejo, mi buen Sr. Marest, con su ángel de la guarda y el de la casa de Santa Ana, que se lo enviamos para que le inspire lo que puede hacer por Dios en esta ocasión.»

Esta carta está firmada como las otras: «Vuestra humilde servidora.» Sobre la primera página, el Sr. Marest había escrito, a lápiz, estas sencillas palabras: «fallecida en Santa Ana el 28 de marzo de 1884.»

La víspera del 2 de febrero, después de haber preparado la capilla para la fiesta del día siguiente, Sor Emmanuel se sintió mal. «Creo que no bajaré más» —dijo al acostarse—. Una tisis galopante se declaró haciendo aún más dolorosas las frecuentes crisis de asfixia. Sin embargo, la enferma nunca se quejó preocupada sólo de no dar quehacer a nadie, de no sobrecargar a las Hermanitas que la cuidaban. Recibió el sacramento de los enfermos —los «últimos sacramentos», como se decía antes—, a principios de marzo. El jueves 27, pidió que se agradeciera de nuevo a sus superioras por haberla recibido en la «pequeña familia» y prometió no olvidar a nadie cuando estuviera junto a Dios.

La noche siguiente la pasó muy mal; la asfixia aumentaba. Sin embargo, estaba pendiente de las Hermanitas que la velaban y se preocupaba por ellas. Varias veces les pidió que se fueran a descansar: «No es necesario que se cansen tanto, si hay necesidad, ya las llamaré.»

Al día siguiente, viernes, a las tres de la tarde, como su Maestro, Sor Emmanuel entregó su vida a Dios. Su

Tumba de Sor Emmanuel en el cementerio
del juniorado de Leeds

rostro, quebrantado por el sufrimiento, tomó en seguida una expresión bella y joven. «Quisiera estar siempre con Jesús», había confiado unos meses antes. En este 28 de marzo, Dios realizó su deseo.

Trasladado, junto con los de otras ocho Hermanitas, del cementerio católico de Kensal Green al de Londres Santa Ana, el 22 de julio de 1983, el cuerpo de Sor Emmanuel pasó algunas horas en esta casa en que murió, antes de ser acogido en el juniorado de Leeds, antiguo colegio metodista. Ahora descansa en el pequeño cementerio de la propiedad.

El centenario de su muerte (28 marzo 1884) fue celebrado en el día aniversario en casa de las Hermanitas de Londres Santa Ana, con una Eucaristía presidida por Mons. V. Guazzelli, uno de los auxiliares del cardenal B. Hume encargado del sector de Londres en donde se encuentra implantada esta casa.

El 31 de marzo, una celebración ecuménica reunía, en torno al obispo de Leeds, Mons. W. G. Wheeler, en la capilla del juniorado de Leeds, a cristianos de varias confesiones: anglicanos, metodistas, armada «du salut». Entre los asistentes se encontraba el obispo anglicano de Knaresborough y el actual párroco de Kilnhurst, parroquia anglicana en donde Henry Sheppard ejerció su ministerio. Varios himnos compuestos por el hermano de Sor Emmanuel con motivo del quinto festival anual de la «Doncaster Church Choral Union» (en 1868), fueron cantados durante esta celebración.

El crucifijo de profesión de Sor Emmanuel, encontrado cuando fue exhumada el 22 de julio de 1993 en Londres

El hábito de Sor Emmanuel
estaba todavía muy bueno,
escribía la Superiora Provincial
de Londres,
testigo de la exhumación.
Su crucifijo de profesión aún
en buen estado.
El cordón negro parecía nuevo,
se diría que acababa de salir
de las mercerías de Londres
que Caroline frecuentaba cuando
salía para la cuestación.
Sobre el hábito,
dos ramitas verdes, frescas,
con unas florecillas blancas que
se asemejaban un poco
a la flor del tilo

De esta biografía de la
primera Hermanita de los Pobres, inglesa,
CAROLINE SHEPPARD
(Sor Emmanuel),
ha sido realizada la versión castellana
en el acontecer del 110 aniversario
de su muerte
a los 61 años de su abnegada vida

LAUS DEO